Du même auteur
dans la même collection

CARMEN
MATEO FALCONE – TAMANGO
LA VÉNUS D'ILLE ET AUTRES CONTES FANTASTIQUES

Carmen

MÉRIMÉE

Carmen

Présentation, notes,
chronologie et dossier
par Sophie Sallandrouze

ÉTONNANTS CLASSIQUES

GF Flammarion

ISBN : 2-08-072145-7
ISSN : 1269-8822

PROSPER MÉRIMÉE : UNE VIE

Prosper Mérimée naît le 28 septembre 1803 à Paris dans une famille bourgeoise et cultivée. Son père, peintre, et sa mère lui enseignent l'art du dessin et de l'aquarelle. Le premier est bientôt nommé secrétaire-adjoint de l'École des beaux-arts (1804), et Mérimée passe donc toute son enfance entouré d'œuvres d'art ce qui le marquera durablement. Après de solides études au lycée Napoléon (aujourd'hui lycée Henri-IV), Mérimée commence des études de droit. Il approfondit également son étude des langues anciennes et vivantes et continuera cet apprentissage toute sa vie (puisqu'il apprend le russe à quarante-cinq ans et commence dès l'année suivante à proposer la traduction d'œuvres des grands auteurs russes). Enfin, il se passionne pour l'architecture et l'archéologie.

Mérimée débute bientôt sa carrière littéraire. Son œuvre est abondante et touche des domaines très variés. Il fait paraître aussi bien (et ce sont ses débuts) des pièces de théâtre avec le *Théâtre de Clara Gazul* (1825), que des textes historiques comme la *Chronique du règne de Charles IX* (1829), des lettres rapportant ses voyages, *Lettres d'Espagne* (1831-1833), et des nouvelles. C'est dans ce dernier genre que Mérimée s'illustre plus particulièrement. Il écrit parmi d'autres *Tamango*, *Mateo Falcone*, *La Vénus d'Ille* et *Carmen* en 1845.

Parallèlement à son activité littéraire, Mérimée mène une carrière plus officielle. Après avoir participé à la vie de plusieurs ministères, il est nommé inspecteur des Monuments historiques en 1834, puis secrétaire de la Commission des monuments historiques trois ans plus tard.

L'intérêt pour l'archéologie et la conservation du patrimoine semble être devenu un souci général. On fouille à Pompéi et Herculanum, on s'intéresse à l'Égypte depuis les campagnes napoléoniennes, on a créé en 1816 la fameuse École des chartes et la prestigieuse école d'Athènes verra le jour en 1848.

Mérimée entreprend dans le cadre de sa charge de nombreux voyages à travers toute la France et à l'étranger. Outre ses nombreux séjours en Espagne qui lui donnent une très bonne connaissance de ce pays (ce qui apparaît clairement dans *Carmen*), il visite également l'Angleterre, l'Italie, découvre l'Orient... Vient enfin le temps des honneurs. Élu en 1844 à l'Académie française, Mérimée devient officier de la Légion d'honneur en 1852, puis est nommé sénateur en 1853. Il meurt à Cannes le 23 septembre 1870.

LA NOUVELLE

C'est au XIXe siècle que la nouvelle connaît un essor tout particulier. En France comme à l'étranger, la plupart des écrivains écrivent et publient des nouvelles. Souvent, celles-ci paraissent pour la première fois dans les journaux, avant d'être éventuellement réunies en recueil.

Il est parfois difficile de définir précisément ce genre, et les appellations de « conte » (comme *Trois Contes* de Flaubert) ou de « récit » peuvent désigner des réalités très proches. La définition de la nouvelle se constitue en fait pour beaucoup face au roman. Il s'agit d'un récit bref et ramassé, se situant le plus souvent dans un seul lieu avec un nombre réduit de personnages. Il se concentre autour d'une intrigue unique, raconte le plus souvent un moment crucial de l'existence, là où le roman s'attache davantage à retracer la vie entière d'un personnage.

Chez les grands nouvellistes du XIXe siècle (Maupassant, Mérimée, Poe, Gogol, etc.), la nouvelle emprunte essentiellement deux directions : le réalisme et le fantastique. Mérimée, qui s'affirme en France comme l'un des maîtres du genre, opte tantôt pour l'une, tantôt pour l'autre. Si *La Vénus d'Ille* est proche du conte fantastique, *Carmen* est un récit réaliste, marqué, et c'est l'autre de ses caractéristiques, par une inspiration exotique.

L'EXOTISME

L'action de* Carmen *se situe en Andalousie.

Les multiples indications topologiques, Munda, Ronda, Gibraltar et, bien entendu Séville et Cordoue, suffisent à prouver le souci de Mérimée d'ancrer son récit dans cette terre étrangère. Et de fait, nombreux furent les voyages de l'écrivain en Espagne. Ces séjours successifs (en 1830, 1846, 1853-1859) lui donnent une bonne connaissance de ce pays et de ses coutumes. Aussi glisse-t-il à de nombreuses reprises dans le texte même de la nouvelle des remarques d'ordre général sur les us et coutumes du peuple espagnol (ou tzigane). Il écrit en effet au chapitre 1 de *Carmen* : « En Espagne, un cigare donné et reçu établit des relations d'hospitalité, comme en Orient le partage du pain et du sel » ou encore : « Pour qu'une femme soit belle, il faut, disent les Espagnols, qu'elle réunisse trente *si* » (ch. 2), « L'Espagne est un des pays où se trouvent aujourd'hui, en plus grand nombre encore, ces nomades dispersés dans toute l'Europe » (ch. 4).

Par ailleurs, la présence de mots empruntés directement à la langue espagnole ou à la langue tzigane, tels *Calé*, *payllo*, *romi* et d'autres encore, témoigne du goût de l'auteur pour l'exotisme. Mérimée ajoute en outre à son texte de très nombreuses notes, parfois fort savantes et pointues, sur le mode de vie espagnol mais aussi sur la langue, sa prononciation… Il nourrit donc son texte de ces petites touches qui lui donnent sa couleur locale.

Mérimée n'est d'ailleurs pas le seul à avoir été séduit par l'Espagne, et de très nombreux auteurs du XIXe siècle se sont rendus dans ce pays et ont nourri leurs œuvres de ces voyages. On pense à Victor Hugo qui y vécut durant sa jeunesse et écrivit plus tard *Hernani* ou *Ruy Blas* ou encore à Alfred de Musset qui écrivit les *Contes d'Espagne et d'Italie*.

LA CRÉATION D'UN MYTHE

De *Colomba* à *La Vénus d'Ille*, les figures féminines sont nombreuses dans l'œuvre de Mérimée mais, de toutes, c'est Carmen qui a laissé l'empreinte la plus forte. Elle a pris la dimension d'un mythe. En effet, elle n'est pas seulement « *la gitanilla* » de Mérimée, mais aussi l'envoûtante cigarière de l'opéra de Bizet (1875). Chacun connaît, parfois sans savoir l'identifier vraiment, le fameux air de « La Habanera » : « L'amour est enfant de bohème, il n'a jamais, jamais connu de loi... »

Le personnage de Carmen a nourri de nombreuses autres œuvres encore. Au cinéma notamment, elle a non seulement inspiré des œuvres européennes telle *Carmen* de l'Espagnol Carlos Saura (1983) mais encore américaine avec *Carmen Jones* d'Otto Preminger (1954) ou tout récemment, et de façon plus surprenante, africaine avec *Karmen* du Sénégalais Joseph Gaï Ramaka (2001).

C'est le propre du mythe que de traverser les âges, les frontières et les cultures. De plus, et pour emprunter une citation de Bachelard, « tout mythe est un drame humain condensé. Et c'est pourquoi tout mythe peut si facilement servir de symbole pour une situation dramatique actuelle. » Or, de fait, *Carmen* est bien « un drame humain condensé ». Les thèmes intemporels de la passion et de la mort s'y mêlent étroitement (et la forme ramassée de la nouvelle s'y prête particulièrement bien). L'idée de destin, si essentielle dans les mythes antiques, est aussi clairement exprimée, Carmen l'affirme elle-même (« c'est écrit » répète-t-elle plusieurs fois).

Par ailleurs, le personnage de Carmen est bien devenu un symbole, elle incarne la femme espagnole par excellence et, plus largement encore, la femme fatale. Provocante, « elle répondait à chacun, faisant les yeux en coulisse, le poing sur la hanche, effrontée comme une vraie bohémienne qu'elle était (ch. 3), elle attire irrésistiblement à elle. Elle charme comme le rappelle l'origine étymologique de son nom, elle exerce une fascination magique, se fait envoûtement pour ceux qui l'entourent. Tout cela fait bien de Carmen une héroïne mythique. Elle est donc, au même titre que don Juan, Faust ou don Quichotte, une des figures de la littérature devenue mythe.

REPÈRES
HISTORIQUES
ET CULTURELS

VIE
ET ŒUVRE
DE L'AUTEUR

1803
1870

REPÈRES HISTORIQUES ET CULTURELS

1804	Sacre de Napoléon.
1810	Naissance de Chopin. Mme de Staël : *De l'Allemagne.*
1811	Naissance de Théophile Gautier.
1814	Abdication de Napoléon. Restauration, règne de Louis XVIII.
1815	Les Cent-Jours. Bataille de Waterloo.
1819	Géricault : *Le Radeau de la Méduse.*
1820	Lamartine : *Méditations poétiques.*
1821	Mort de Napoléon.
1823	Delacroix : *Les Massacres de Scio.*
1824	Début du règne de Charles X.
1827	Hugo, *Préface de Cromwell*, manifeste du théâtre romantique.
1828	Campagne de Grèce.
1829	Hugo : *Les Orientales.*

VIE ET ŒUVRE DE L'AUTEUR

1803 — Naissance de Prosper Mérimée à Paris.

1812 — Entrée au lycée Napoléon (aujourd'hui lycée Henri-IV).

1820 — Études de droit.

1822 — Rencontre avec Stendhal qui deviendra son ami.

1825 — Publication de sa première œuvre, *Théâtre de Clara Gazul.*
Voyages en Angleterre.

1827 — *La Gazula.*

1828 — Blessure au cours d'un duel avec Félix Lacoste, le mari de sa maîtresse.
La Jacquerie, scènes féodales.

1829 — Rencontre avec Victor Hugo et Alfred de Musset.
Chronique du temps de Charles IX, Mateo Falcone, Le Carrosse du Saint-Sacrement, Vision de Charles XI, L'Enlèvement de la redoute, Tamango, Federigo, textes publiés dans la presse.

REPÈRES HISTORIQUES ET CULTURELS

1830	Monarchie de Juillet, règne de Louis-Philippe. Début de la conquête de l'Algérie. Stendhal : *Le Rouge et le Noir.*
1831	Hugo : *Notre-Dame de Paris.* Musset : *Contes d'Espagne et d'Italie.*
1833	Hugo : *Lucrèce Borgia.*
1838	Hugo : *Ruy Blas.*
1839	Stendhal : *La Chartreuse de Parme.* Naissance de Paul Cézanne.
1840	Viollet-le-Duc commence ses travaux de restauration sur les Monuments historiques. Poe, *Histoires extraordinaires.* Naissance d'Émile Zola.

VIE ET ŒUVRE DE L'AUTEUR

1830 — *Le Vase étrusque, La Partie de tric-trac.* Voyage en Espagne et rencontre avec le comte de Montijo, père de la future impératrice Eugénie.

1831 — Début des fonctions officielles : au secrétariat de la Marine puis au cabinet du ministre du Commerce.
Il obtient la Légion d'honneur.

1832 — Entrée au conseil d'État.

1833 — Parution de *La Double Méprise* puis de l'ensemble des nouvelles sous le titre *Mosaïque.*
Brève liaison avec George Sand.

1834 — Nommé inspecteur des Monuments historiques. Premiers voyages à travers la France. Ses écrits en gardent la trace : *Notes d'un voyage dans le midi de la France* (1835), *dans l'ouest de la France* (1836), *en Auvergne* (1838), *en Corse* (1840)...
Les Âmes du purgatoire.

1837 — *La Vénus d'Ille.*
Création de la Commission des Monuments historiques.
Liaison avec Madame Delessert.

1839 — Voyage en Corse et en Italie (Stendhal l'accompagne).

1840 — *Colomba.*
Séjour en Espagne chez les Montijo.

1841 — *Essai sur la guerre sociale.*
Voyage en Grèce et en Turquie.

REPÈRES HISTORIQUES ET CULTURELS

1844	Dumas : *Les Trois Mousquetaires.* Naissance de Verlaine.
1848	Révolution de février. IIe République. Insurrections de juin. Louis-Napoléon Bonaparte est président de la République.
1851	Coup d'État du 2 décembre de Louis-Napoléon Bonaparte.
1852	Second Empire.
1853	Louis-Napoléon Bonaparte épouse la comtesse Eugénie de Montijo (rencontrée par Mérimée en 1830).
1856	Traduction française des *Histoires extraordinaires* de Poe par Baudelaire.
1857	Flaubert : *Madame Bovary.* Baudelaire : *Les Fleurs du mal.*

VIE ET ŒUVRE DE L'AUTEUR

1844 — Élu à l'Académie française.
Études sur l'histoire romaine.

1845 — *Carmen.*
Voyage en Espagne.

1848 — *Histoire de don Pèdre, roi de Castille.*
Mérimée se fait enrôler comme garde national pendant les émeutes du mois de juin.
Il commence l'étude du russe.

1849 — Traduction de *La Dame de pique* de Pouchkine et de plusieurs textes de Tourgueniev.

1851 — Tournée dans la nord de l'Europe : Angleterre, Belgique, Hollande.

1852 — *Un épisode de l'histoire de Russie : le faux Démétrius.*
Officier de la Légion d'honneur.
Mort de sa mère avec laquelle il vivait depuis près de quinze ans.

1853 — Mérimée devient un proche du couple impérial.
Élu sénateur.

1854 — Voyage en Europe centrale.
Rupture définitive avec Valentine Delessert qui le plonge dans le désespoir.

1855 — Édition critique d'un texte d'Agrippa d'Aubigné.

1856-1861 — Nombreux voyages : Angleterre, Écosse, Suisse, Italie.
Commandeur de la Légion d'honneur, Mérimée consacre beaucoup de temps à ses tâches officielles.
Il commence à la demande de l'empereur une *Histoire de Jules César.*

REPÈRES HISTORIQUES ET CULTURELS

1870	Guerre franco-prussienne. Défaite de Sedan (4 septembre).
1871	Insurrection de la Commune à Paris.

VIE ET ŒUVRE DE L'AUTEUR

1858 — Édition critique des *Œuvres complètes* de Brantôme.

1864 — Début d'une série d'articles sur *L'Histoire du règne de Pierre le Grand.*

1868 — *Lokis.*

1869 — *Le Figaro* du 10 mars annonce sa mort alors que Mérimée ne souffre que d'une bronchite aiguë.

1870 — Il compose sa dernière nouvelle, *Djoûmane.*
Il meurt le 23 septembre.

1871 — Pendant la Commune, sa maison, rue de Lille, est incendiée. Tous ses papiers, dossiers et livres sont détruits.

Carmen

Πᾶσα γυνὴ χόλος ἐστίν· ἔχει δ'ἀγαθάς δύο ὥρας
Τήν μίαν έν θαλάμω, τήν μίαν ἐν θανάτω.

Palladas [1].

I

J'avais toujours soupçonné les géographes de ne savoir ce qu'ils disent lorsqu'ils placent le champ de bataille de Munda [2] dans le pays des Bastuli-Pœni, près de la moderne Monda, à quelque deux lieues au nord de Marbella [3]. D'après mes propres conjectures sur le texte de l'anonyme, auteur du *Bellum Hispaniense* [4], et quelques renseignements recueillis dans l'excellente bibliothèque du duc d'Ossuna, je pensais qu'il fallait chercher aux environs de Montilla [5] le lieu mémorable où, pour la dernière fois, César joua quitte ou double contre les champions de la république. Me trouvant en Andalousie au commencement de l'automne de 1830, je fis une

1. Mérimée a inscrit en note épigraphe une citation du poète alexandrin Palladas. Cette dernière peut se traduire ainsi : « Toute femme est fiel mais elle a deux bonnes heures, l'une au lit et l'autre dans la tombe. »
2. *Munda* : lieu d'une victoire de Jules César sur les fils de Pompée en 45 av. J.-C. et qui mit fin aux guerres civiles de Rome.
3. *Marbella* : ville du sud de l'Espagne.
4. *Bellum Hispaniense* : *De la guerre d'Espagne.*
5. *Montilla* : ville de la province de Cordoue, en Espagne.

assez longue excursion pour éclaircir les doutes qui me restaient encore. Un mémoire [1] que je publierai prochainement ne laissera plus, je l'espère, aucune incertitude dans l'esprit de tous les archéologues de bonne foi. En attendant que ma dissertation résolve enfin le problème géographique qui tient toute l'Europe savante en suspens, je veux vous raconter une petite histoire; elle ne préjuge rien sur l'intéressante question de l'emplacement de Munda.

J'avais loué à Cordoue un guide et deux chevaux, et m'étais mis en campagne avec les *Commentaires de César* et quelques chemises pour tout bagage. Certain jour, errant dans la partie élevée de la plaine de Cachena, harassé de fatigue, mourant de soif, brûlé par un soleil de plomb, je donnais au diable de bon cœur César et les fils de Pompée, lorsque j'aperçus, assez loin du sentier que je suivais, une petite pelouse verte parsemée de joncs et de roseaux. Cela m'annonçait le voisinage d'une source. En effet, en m'approchant, je vis que la prétendue pelouse était un marécage où se perdait un ruisseau, sortant, comme il semblait, d'une gorge étroite entre deux hauts contreforts de la sierra de Cabra[2]. Je conclus qu'en remontant je trouverais de l'eau plus fraîche, moins de sangsues [3] et de grenouilles, et peut-être un peu d'ombre au milieu des rochers. À l'entrée de la gorge, mon cheval hennit, et un autre cheval, que je ne voyais pas, lui répondit aussitôt. À peine eus-je fait une centaine de pas, que la gorge, s'élargissant tout à coup, me montra une

1. *Mémoire* (n. m.) : écrit destiné à exposer, à soutenir une idée.
2. *La sierra de Cabra* se trouve au sud de Montilla.
3. *Sangsues* : petits vers qui s'accrochent à la peau et sucent le sang.

espèce de cirque naturel parfaitement ombragé par
45 la hauteur des escarpements qui l'entouraient. Il
était impossible de rencontrer un lieu qui promît au
voyageur une halte plus agréable. Au pied de
rochers à pic, la source s'élançait en bouillonnant,
et tombait dans un petit bassin tapissé d'un sable
50 blanc comme la neige. Cinq à six beaux chênes
verts, toujours à l'abri du vent et rafraîchis par la
source, s'élevaient sur ses bords, et la couvraient de
leur épais ombrage; enfin, autour du bassin, une
herbe fine, lustrée, offrait un lit meilleur qu'on
55 n'en eût trouvé dans aucune auberge à dix lieues à
la ronde.

À moi n'appartenait pas l'honneur d'avoir
découvert un si beau lieu. Un homme s'y reposait
déjà, et sans doute dormait, lorsque j'y pénétrai.
60 Réveillé par les hennissements, il s'était levé, et
s'était rapproché de son cheval, qui avait profité du
sommeil de son maître pour faire un bon repas de
l'herbe aux environs. C'était un jeune gaillard, de
taille moyenne, mais d'apparence robuste, au
65 regard sombre et fier. Son teint, qui avait pu être
beau, était devenu, par l'action du soleil, plus foncé
que ses cheveux. D'une main il tenait le licol[1] de sa
monture, de l'autre une espingole[2] de cuivre.
J'avouerai que d'abord l'espingole et l'air farouche
70 du porteur me surprirent quelque peu; mais je ne
croyais plus aux voleurs, à force d'en entendre parler
et de n'en rencontrer jamais. D'ailleurs, j'avais
vu tant d'honnêtes fermiers s'armer jusqu'aux

1. *Licol*: pièce du harnachement d'un cheval.
2. *Espingole* : fusil court à canon évasé qu'on chargeait de chevrotines.

dents pour aller au marché, que la vue d'une arme à feu ne m'autorisait pas à mettre en doute la mora- 75 lité de l'inconnu. — Et puis, me disais-je, que ferait-il de mes chemises et de mes *Commentaires* Elzevir[1]? Je saluai donc l'homme à l'espingole d'un signe de tête familier, et je lui demandai en souriant si j'avais troublé son sommeil. Sans me répondre, il me toisa 80 de la tête aux pieds; puis, comme satisfait de son examen, il considéra avec la même attention mon guide, qui s'avançait. Je vis celui-ci pâlir et s'arrêter en montrant une terreur évidente. Mauvaise rencontre! me dis-je. Mais la prudence me conseilla 85 aussitôt de ne laisser voir aucune inquiétude. Je mis pied à terre; je dis au guide de débrider, et, m'agenouillant au bord de la source, j'y plongeai ma tête et mes mains; puis je bus une bonne gorgée, couché à plat ventre, comme les mauvais soldats de 90 Gédéon [2].

J'observais cependant mon guide et l'inconnu. Le premier s'approchait bien à contrecœur; l'autre semblait n'avoir pas de mauvais desseins contre nous, car il avait rendu la liberté à son cheval, et son 95 espingole, qu'il tenait d'abord horizontale, était maintenant dirigée vers la terre.

Ne croyant pas devoir me formaliser du peu de cas qu'on avait paru faire de ma personne, je m'étendis sur l'herbe, et d'un air dégagé je deman- 100

1. *Elzevir* : édition précieuse, du nom de célèbres imprimeurs hollandais.
2. *Les mauvais soldats de Gédéon.* Yahvé tria les bons et les mauvais soldats de l'armée de Gédéon à la façon dont ils buvaient en passant près d'un ruisseau (La Bible, Livre des Juges, VII). Les bons ne s'agenouillaient pas et lapaient l'eau en s'allongeant sur le sol. Ils ne ralentissaient ainsi pas la marche.

dai à l'homme à l'espingole s'il n'avait pas un briquet sur lui. En même temps je tirais mon étui à cigares. L'inconnu, toujours sans parler, fouilla dans sa poche, prit son briquet, et s'empressa de me
105 faire du feu. Évidemment il s'humanisait ; car il s'assit en face de moi, toutefois sans quitter son arme. Mon cigare allumé, je choisis le meilleur de ceux qui me restaient, et je lui demandai s'il fumait.

— Oui, monsieur, répondit-il. C'étaient les pre-
110 miers mots qu'il faisait entendre, et je remarquai qu'il ne prononçait pas l'*s* à la manière andalouse[a], d'où je conclus que c'était un voyageur comme moi, moins archéologue seulement.

— Vous trouverez celui-ci assez bon, lui dis-je en
115 lui présentant un véritable régalia de la Havane[1].

Il me fit une légère inclination de tête, alluma son cigare au mien, me remercia d'un autre signe de tête, puis se mit à fumer avec l'apparence d'un très vif plaisir.

120 — Ah ! s'écria-t-il en laissant échapper lentement sa première bouffée par la bouche et les narines, comme il y avait longtemps que je n'avais fumé !

En Espagne, un cigare donné et reçu établit des
125 relations d'hospitalité, comme en Orient le partage du pain et du sel. Mon homme se montra plus causant que je ne l'avais espéré. D'ailleurs, bien qu'il se dît habitant du partido[2] de Montilla, il paraissait

a. Les Andalous aspirent l'*s*, et le confondent dans la prononciation avec le *c* doux et le *z*, que les Espagnols prononcent comme le *th* anglais. Sur le seul mot *Señor* on peut reconnaître un Andalou. (*Note de Mérimée.*)

1. *Régalia de la Havane* : très bon cigare cubain.
2. *Partido* : arrondissement.

connaître le pays assez mal. Il ne savait pas le nom de la charmante vallée où nous nous trouvions ; il ne pouvait nommer aucun village des alentours ; enfin, interrogé par moi s'il n'avait pas vu aux environs des murs détruits, de larges tuiles à rebords, des pierres sculptées, il confessa qu'il n'avait jamais fait attention à pareilles choses. En revanche, il se montra expert en matière de chevaux. Il critiqua le mien, ce qui n'était pas difficile ; puis il me fit la généalogie du sien, qui sortait du fameux haras[1] de Cordoue : noble animal, en effet, si dur à la fatigue, à ce que prétendait son maître, qu'il avait fait une fois trente lieues[2] dans un jour, au galop ou au grand trot. Au milieu de sa tirade, l'inconnu s'arrêta brusquement, comme surpris et fâché d'en avoir trop dit. — C'est que j'étais très pressé d'aller à Cordoue, reprit-il avec quelque embarras. J'avais à solliciter les juges pour un procès… En parlant, il regardait mon guide Antonio, qui baissait les yeux.

L'ombre et la source me charmèrent tellement, que je me souvins de quelques tranches d'excellent jambon que mes amis de Montilla avaient mis dans la besace de mon guide. Je les fis apporter, et j'invitai l'étranger à prendre sa part de la collation impromptue. S'il n'avait pas fumé depuis longtemps, il me parut vraisemblable qu'il n'avait pas mangé depuis quarante-huit heures au moins. Il dévorait comme un loup affamé. Je pensai que ma rencontre avait été providentielle pour le pauvre diable. Mon guide, cependant, mangeait peu, buvait

1. *Haras* : lieu d'élevage des chevaux.
2. *Lieue* : ancienne unité de mesure de longueur, représentant environ quatre kilomètres.

160 encore moins, et ne parlait pas du tout, bien que depuis le commencement de notre voyage il se fût révélé à moi comme un bavard sans pareil. La présence de notre hôte semblait le gêner, et une certaine méfiance les éloignait l'un de l'autre sans que j'en devinasse positivement[1] la cause.

165 Déjà les dernières miettes du pain et du jambon avaient disparu ; nous avions fumé chacun un second cigare ; j'ordonnai au guide de brider nos chevaux, et j'allais prendre congé de mon nouvel ami, lorsqu'il me demanda où je comptais passer la nuit.

170 Avant que j'eusse fait attention à un signe de mon guide, j'avais répondu que j'allais à la venta del Cuervo[2].

— Mauvais gîte pour une personne comme vous, monsieur… J'y vais, et, si vous me permettez de vous
175 accompagner, nous ferons route ensemble.

— Très volontiers, dis-je en montant à cheval.

Mon guide, qui me tenait l'étrier, me fit un nouveau signe des yeux. J'y répondis en haussant les épaules, comme pour l'assurer que j'étais parfaite-
180 ment tranquille, et nous nous mîmes en chemin.

Les signes mystérieux d'Antonio, son inquiétude, quelques mots échappés à l'inconnu, surtout sa course de trente lieues et l'explication peu plausible qu'il en avait donnée, avaient déjà formé mon
185 opinion sur le compte de mon compagnon de voyage. Je ne doutai pas que je n'eusse affaire à un contrebandier[3], peut-être à un voleur ; que m'im-

1. *Positivement* : de façon certaine.
2. *La venta del Cuervo* : l'auberge du Corbeau.
3. *Contrebandier* : individu qui se livre au trafic de marchandises interdites.

portait? Je connaissais assez le caractère espagnol pour être très sûr de n'avoir rien à craindre d'un homme qui avait mangé et fumé avec moi. Sa présence même était une protection assurée contre toute mauvaise rencontre. D'ailleurs, j'étais bien aise de savoir ce que c'est qu'un brigand. On n'en voit pas tous les jours, et il y a un certain charme à se trouver auprès d'un être dangereux, surtout lorsqu'on le sent doux et apprivoisé.

J'espérais amener par degrés l'inconnu à me faire des confidences, et, malgré les clignements d'yeux de mon guide, je mis la conversation sur les voleurs de grand chemin. Bien entendu que j'en parlai avec respect. Il y avait alors en Andalousie un fameux bandit nommé José-Maria[1], dont les exploits étaient dans toutes les bouches. — Si j'étais à côté de José-Maria? me disais-je... Je racontai les histoires que je savais de ce héros, toutes à sa louange d'ailleurs, et j'exprimai hautement mon admiration pour sa bravoure et sa générosité.

— José-Maria n'est qu'un drôle, dit froidement l'étranger.

Se rend-il justice, ou bien est-ce excès de modestie de sa part? me demandai-je mentalement; car, à force de considérer mon compagnon, j'étais parvenu à lui appliquer le signalement de José-Maria, que j'avais lu affiché aux portes de mainte ville d'Andalousie. — Oui, c'est bien lui... Cheveux blonds, yeux bleus, grande bouche, belles dents, les mains petites; une chemise fine, une veste de velours à boutons d'argent, des guêtres de peau

1. *José-Maria* : brigand dont il est longuement question dans la troisième des *Lettres d'Espagne* de Mérimée.

blanche, un cheval bai[1]... Plus de doute! Mais respectons son incognito.

Nous arrivâmes à la venta. Elle était telle qu'il me l'avait dépeinte, c'est-à-dire une des plus misérables que j'eusse encore rencontrées. Une grande pièce servait de cuisine, de salle à manger et de chambre à coucher. Sur une pierre plate, le feu se faisait au milieu de la chambre, et la fumée sortait par un trou pratiqué dans le toit, ou plutôt s'arrêtait, formant un nuage à quelques pieds au-dessus du sol. Le long du mur, on voyait étendues par terre cinq ou six vieilles couvertures de mulets; c'étaient les lits des voyageurs. À vingt pas de la maison, ou plutôt de l'unique pièce que je viens de décrire, s'élevait une espèce de hangar servant d'écurie. Dans ce charmant séjour, il n'y avait d'autres êtres humains, du moins pour le moment, qu'une vieille femme et une petite fille de dix à douze ans, toutes les deux de couleur de suie et vêtues d'horribles haillons. — Voilà tout ce qui reste, me dis-je, de la population de l'antique Munda Bœtica! Ô César! ô Sextus Pompée[2]! que vous seriez surpris si vous reveniez au monde!

En apercevant mon compagnon, la vieille laissa échapper une exclamation de surprise.

— Ah! seigneur don José! s'écria-t-elle.

Don José fronça le sourcil, et leva une main d'un geste d'autorité qui arrêta la vieille aussitôt. Je me tournai vers mon guide, et, d'un signe imperceptible, je lui fis comprendre qu'il n'avait rien à

1. *Bai* : couleur brun rouge, en parlant de la robe d'un cheval.
2. *Sextus Pompée* : l'un des deux fils de Pompée vaincus par Jules César.

m'apprendre sur le compte de l'homme avec qui j'allais passer la nuit. Le souper fut meilleur que je ne m'y attendais. On nous servit, sur une petite table haute d'un pied, un vieux coq fricassé avec du riz et force piments, puis des piments à l'huile, enfin du gaspacho[1], espèce de salade de piments. Trois plats ainsi épicés nous obligèrent de recourir souvent à une outre de vin de Montilla qui se trouva délicieux. Après avoir mangé, avisant une mandoline[2] accrochée contre la muraille, il y a partout des mandolines en Espagne, je demandai à la petite fille qui nous servait si elle savait en jouer.

— Non, répondit-elle; mais don José en joue si bien!

— Soyez assez bon, lui dis-je, pour me chanter quelque chose; j'aime à la passion votre musique nationale.

— Je ne puis rien refuser à un monsieur si honnête, qui me donne de si excellents cigares, s'écria don José d'un air de bonne humeur; et, s'étant fait donner la mandoline, il chanta en s'accompagnant. Sa voix était rude, mais pourtant agréable, l'air mélancolique et bizarre; quant aux paroles, je n'en compris pas un mot.

— Si je ne me trompe, lui dis-je, ce n'est pas un air espagnol que vous venez de chanter. Cela ressemble aux *zorzicos*[3] que j'ai entendus dans les

1. *Gaspacho* : en réalité une soupe froide à base de tomate, de piment à laquelle on peut ajouter de petits morceaux de pain, du concombre…
2. *Mandoline* : instrument de musique à cordes.
3. *Zorzicos* : anciennes danses basques.

Provinces[a], et les paroles doivent être en langue basque.

— Oui, répondit don José d'un air sombre.

Il posa la mandoline à terre, et, les bras croisés, il
280 se mit à contempler le feu qui s'éteignait, avec une singulière expression de tristesse. Éclairée par une lampe posée sur la petite table, sa figure, à la fois noble et farouche, me rappelait le Satan de Milton[1]. Comme lui peut-être, mon compagnon songeait au
285 séjour qu'il avait quitté, à l'exil qu'il avait encouru par une faute. J'essayai de ranimer la conversation, mais il ne répondit pas, absorbé qu'il était dans ses tristes pensées. Déjà la vieille s'était couchée dans un coin de la salle, à l'abri d'une couverture trouée ten-
290 due sur une corde. La petite fille l'avait suivie dans cette retraite réservée au beau sexe. Mon guide alors, se levant, m'invita à le suivre à l'écurie ; mais, à ce mot, don José, comme réveillé en sursaut, lui demanda d'un ton brusque où il allait.

295 — À l'écurie, répondit le guide.

— Pour quoi faire ? les chevaux ont à manger. Couche ici, Monsieur le permettra.

— Je crains que le cheval de Monsieur ne soit malade ; je voudrais que Monsieur le vît : peut-être
300 saura-t-il ce qu'il faut lui faire.

Il était évident qu'Antonio voulait me parler en particulier ; mais je ne me souciais pas de donner des soupçons à don José, et, au point où nous en étions, il me semblait que le meilleur parti à

a. *Les provinces privilégiées,* jouissant de *fueros* particuliers, c'est-à-dire l'Alava, la Biscaïe, la Guipuzcoa, et une partie de la Navarre. Le basque est la langue du pays. (*Note de Mérimée.*)

1. *Le Satan de Milton* : le diable dans le poème de l'Anglais John Milton (1608-1674), *Le Paradis perdu* (1667).

prendre était de montrer la plus grande confiance. Je répondis donc à Antonio que je n'entendais rien aux chevaux, et que j'avais envie de dormir. Don José le suivit à l'écurie, d'où bientôt il revint seul. Il me dit que le cheval n'avait rien, mais que mon guide le trouvait un animal si précieux, qu'il le frottait avec sa veste pour le faire transpirer, et qu'il comptait passer la nuit dans cette douce occupation. Cependant, je m'étais étendu sur les couvertures de mulets, soigneusement enveloppé dans mon manteau, pour ne pas les toucher. Après m'avoir demandé pardon de la liberté qu'il prenait de se mettre auprès de moi, dont José se coucha devant la porte, non sans avoir renouvelé l'amorce de son espingole, qu'il eut soin de placer sous la besace qui lui servait d'oreiller. Cinq minutes après nous être mutuellement souhaité le bonsoir, nous étions l'un et l'autre profondément endormis.

Je me croyais assez fatigué pour pouvoir dormir dans un pareil gîte; mais, au bout d'une heure, de très désagréables démangeaisons m'arrachèrent à mon premier somme. Dès que j'en eus compris la nature, je me levai, persuadé qu'il valait mieux passer le reste de la nuit à la belle étoile que sous ce toit inhospitalier. Marchant sur la pointe du pied, je gagnai la porte, j'enjambai par-dessus la couche de don José, qui dormait du sommeil du juste, et je fis si bien que je sortis de la maison sans qu'il s'éveillât. Auprès de la porte était un large banc de bois; je m'étendis dessus, et m'arrangeai de mon mieux pour achever ma nuit. J'allais fermer les yeux pour la seconde fois, quand il me sembla voir passer devant moi l'ombre d'un homme et l'ombre d'un cheval, marchant l'un et l'autre sans faire le

moindre bruit. Je me mis sur mon séant, et je crus
340 reconnaître Antonio. Surpris de le voir hors de
l'écurie à pareille heure, je me levai et marchai à sa
rencontre. Il s'était arrêté, m'ayant aperçu d'abord.

— Où est-il ? me demanda Antonio à voix basse.

— Dans la venta ; il dort ; il n'a pas peur des
345 punaises. Pourquoi donc emmenez-vous ce cheval ?

Je remarquai alors que, pour ne pas faire de
bruit en sortant du hangar, Antonio avait soigneusement enveloppé les pieds de l'animal avec les
débris d'une vieille couverture.

350 — Parlez plus bas, me dit Antonio, au nom de
Dieu ! Vous ne savez pas qui est cet homme-là. C'est
José Navarro, le plus insigne bandit de l'Andalousie. Toute la journée je vous ai fait des signes que
vous n'avez pas voulu comprendre.

355 — Bandit ou non, que m'importe ? répondis-je ;
il ne nous a pas volés, et je parierais qu'il n'en a pas
envie.

— À la bonne heure ; mais il y a deux cents
ducats[1] pour qui le livrera. Je sais un poste de lan-
360 ciers[2] à une lieue et demie d'ici, et avant qu'il soit
jour, j'amènerai quelques gaillards solides. J'aurais
pris son cheval, mais il est si méchant que nul que le
Navarro ne peut en approcher.

— Que le diable vous emporte ! lui dis-je. Quel
365 mal vous a fait ce pauvre homme pour le dénoncer ?
D'ailleurs, êtes-vous sûr qu'il soit le brigand que
vous dites ?

— Parfaitement sûr ; tout à l'heure il m'a suivi
dans l'écurie et m'a dit : « Tu as l'air de me

1. *Ducats* : ancienne monnaie d'or.
2. *Lanciers* : cavaliers armés d'une lance.

connaître; si tu dis à ce bon monsieur qui je suis, je te fais sauter la cervelle. » Restez, Monsieur, restez auprès de lui; vous n'avez rien à craindre. Tant qu'il vous saura là, il ne se méfiera de rien.

Tout en parlant, nous nous étions déjà assez éloignés de la venta pour qu'on ne pût entendre les fers du cheval. Antonio l'avait débarrassé en un clin d'œil des guenilles dont il lui avait enveloppé les pieds; il se préparait à enfourcher sa monture. J'essayai prières et menaces pour le retenir.

— Je suis un pauvre diable, Monsieur, me disait-il; deux cents ducats ne sont pas à perdre, surtout quand il s'agit de délivrer le pays de pareille vermine. Mais prenez garde : si le Navarro se réveille, il sautera sur son espingole, et gare à vous! Moi, je suis trop avancé pour reculer; arrangez-vous comme vous pourrez.

Le drôle était en selle; il piqua des deux, et dans l'obscurité je l'eus bientôt perdu de vue.

J'étais fort irrité contre mon guide et passablement inquiet. Après un instant de réflexion, je me décidai et rentrai dans la venta. Don José dormait encore, réparant sans doute en ce moment les fatigues et les veilles de plusieurs journées aventureuses. Je fus obligé de le secouer rudement pour l'éveiller. Jamais je n'oublierai son regard farouche et le mouvement qu'il fit pour saisir son espingole, que, par mesure de précaution, j'avais mise à quelque distance de sa couche.

— Monsieur, lui dis-je, je vous demande pardon de vous éveiller; mais j'ai une sotte question à vous faire : seriez-vous bien aise de voir arriver ici une demi-douzaine de lanciers?

Il sauta en pieds, et d'une voix terrible :

— Qui vous l'a dit? me demanda-t-il.

405 — Peu importe d'où vient l'avis, pourvu qu'il soit bon.

— Votre guide m'a trahi, mais il me le payera! Où est-il?

— Je ne sais... Dans l'écurie, je pense... mais 410 quelqu'un m'a dit...

— Qui vous a dit?... Ce ne peut être la vieille...

— Quelqu'un que je ne connais pas... Sans plus de paroles, avez-vous, oui ou non, des motifs pour ne pas attendre les soldats? Si vous en avez, ne per-415 dez pas de temps, sinon bonsoir, et je vous demande pardon d'avoir interrompu votre sommeil.

— Ah! votre guide! votre guide! Je m'en étais méfié d'abord... mais... son compte est bon!... Adieu, Monsieur. Dieu vous rende le service que je 420 vous dois. Je ne suis pas tout à fait aussi mauvais que vous me croyez... oui, il y a encore en moi quelque chose qui mérite la pitié d'un galant homme... Adieu, Monsieur... Je n'ai qu'un regret, c'est de ne pouvoir m'acquitter envers vous.

425 — Pour prix du service que je vous ai rendu, promettez-moi, don José, de ne soupçonner personne, de ne pas songer à la vengeance. Tenez, voilà des cigares pour votre route; bon voyage! Et je lui tendis la main.

430 Il me la serra sans répondre, prit son espingole et sa besace, et, après avoir dit quelques mots à la vieille dans un argot que je ne pus comprendre, il courut au hangar. Quelques instants après, je l'entendais galoper dans la campagne.

435 Pour moi, je me recouchai sur mon banc, mais je ne me rendormis point. Je me demandais si j'avais eu raison de sauver de la potence un voleur, et peut-

être un meurtrier, et cela seulement parce que j'avais mangé du jambon avec lui et du riz à la valencienne. N'avais-je pas trahi mon guide qui soutenait 440 la cause des lois; ne l'avais-je pas exposé à la vengeance d'un scélérat? Mais les devoirs de l'hospitalité!... Préjugé de sauvage, me disais-je; j'aurai à répondre de tous les crimes que le bandit va commettre... Pourtant est-ce un préjugé que cet instinct 445 de conscience qui résiste à tous les raisonnements? Peut-être, dans la situation délicate où je me trouvais, ne pouvais-je m'en tirer sans remords. Je flottais encore dans la plus grande incertitude au sujet de la moralité de mon action, lorsque je vis paraître 450 une demi-douzaine de cavaliers avec Antonio, qui se tenait prudemment à l'arrière-garde. J'allai audevant d'eux, et les prévins que le bandit avait pris la fuite depuis plus de deux heures. La vieille, interrogée par le brigadier, répondit qu'elle connaissait 455 le Navarro, mais que, vivant seule, elle n'aurait jamais osé risquer sa vie en le dénonçant. Elle ajouta que son habitude, lorsqu'il venait chez elle, était de partir toujours au milieu de la nuit. Pour moi, il me fallut aller, à quelques lieues de là, exhiber mon pas- 460 seport et signer une déclaration devant un alcade[1], après quoi on me permit de reprendre mes recherches archéologiques. Antonio me gardait rancune, soupçonnant que c'était moi qui l'avais empêché de gagner les deux cents ducats. Pourtant 465 nous nous séparâmes bons amis à Cordoue; là, je lui donnai une gratification aussi forte que l'état de mes finances pouvait me le permettre.

. . . .

1. *Alcade* : juge de paix espagnol.

2

Je passai quelques jours à Cordoue. On m'avait indiqué certain manuscrit de la bibliothèque des Dominicains[1], où je devais trouver des renseignements intéressants sur l'antique Munda. Fort bien
5 accueilli par les bons Pères, je passais les journées dans leur couvent, et le soir je me promenais par la ville. À Cordoue, vers le coucher du soleil, il y a quantité d'oisifs sur le quai qui borde la rive droite du Guadalquivir. Là, on respire les émanations
10 d'une tannerie qui conserve encore l'antique renommée du pays pour la préparation des cuirs; mais, en revanche, on y jouit d'un spectacle qui a bien son mérite. Quelques minutes avant l'*angélus*[2], un grand nombre de femmes se rassemblent sur le
15 bord du fleuve, au bas du quai, lequel est assez élevé. Pas un homme n'oserait se mêler à cette

1. *Dominicains* : religieux appartenant à l'ordre de saint Dominique.
2. *Angélus* : prière à la Vierge Marie dite le matin, à midi et le soir, et annoncée par le son d'une cloche. Il est question ici de l'Angélus du soir.

Illustration de Gaston Vuillier pour *Carmen* (édition de 1911).

troupe. Aussitôt que l'*angélus* sonne, il est censé qu'il fait nuit[1]. Au dernier coup de cloche, toutes ces femmes se déshabillent et entrent dans l'eau. 20 Alors ce sont des cris, des rires, un tapage infernal. Du haut du quai, les hommes contemplent les baigneuses, écarquillent les yeux, et ne voient pas grand-chose. Cependant ces formes blanches et incertaines qui se dessinent sur le sombre azur du 25 fleuve, font travailler les esprits poétiques, et, avec un peu d'imagination, il n'est pas difficile de se représenter Diane et ses nymphes au bain, sans avoir à craindre le sort d'Actéon[2]. — On m'a dit que quelques mauvais garnements se cotisèrent cer- 30 tain jour, pour graisser la patte au sonneur de la cathédrale et lui faire sonner l'*angélus* vingt minutes avant l'heure légale. Bien qu'il fît encore grand jour, les nymphes[3] du Guadalquivir n'hésitèrent pas, et se fiant plus à l'*angélus* qu'au soleil, elles 35 firent en sûreté de conscience leur toilette de bain, qui est toujours des plus simples. Je n'y étais pas. De mon temps, le sonneur était incorruptible, le crépuscule peu clair, et un chat seulement aurait pu distinguer la plus vieille marchande d'oranges de la 40 plus jolie grisette[4] de Cordoue.

Un soir, à l'heure où l'on ne voit plus rien, je fumais, appuyé sur le parapet du quai, lorsqu'une

1. *Il est censé qu'il fait nuit* : il est censé faire nuit.
2. *Actéon* : chasseur qui, ayant surpris la déesse Diane au bain, fut transformé en cerf et dévoré par ses propres chiens.
3. *Nymphes* : dans la mythologie antique, déesses qui hantaient notamment les rivières. Au sens figuré : jeunes femmes au corps gracieux.
4. *Grisette* : jeune fille de modeste condition.

femme, remontant l'escalier qui conduit à la rivière, vint s'asseoir près de moi. Elle avait dans les cheveux un gros bouquet de jasmin, dont les pétales 45 exhalent le soir une odeur enivrante. Elle était simplement, peut-être pauvrement vêtue, tout en noir, comme la plupart des grisettes dans la soirée. Les femmes comme il faut ne portent le noir que le matin ; le soir, elles s'habillent *à la francesa*. En arri- 50 vant auprès de moi, ma baigneuse laissa glisser sur ses épaules la mantille [1] qui lui couvrait la tête, et, *à l'obscure clarté qui tombe des étoiles*[2], je vis qu'elle était petite, jeune, bien faite, et qu'elle avait de très grands yeux. Je jetai mon cigare aussitôt. Elle com- 55 prit cette attention d'une politesse toute française, et se hâta de me dire qu'elle aimait beaucoup l'odeur du tabac, et que même elle fumait, quand elle trouvait des *papelitos* [3] bien doux. Par bonheur, j'en avais de tels dans mon étui, et je m'empressai 60 de lui en offrir. Elle daigna en prendre un, et l'alluma à un bout de corde enflammé qu'un enfant nous apporta moyennant un sou. Mêlant nos fumées, nous causâmes si longtemps, la belle baigneuse et moi, que nous nous trouvâmes presque 65 seuls sur le quai. Je crus n'être point indiscret en lui offrant d'aller prendre des glaces à la *neveria*[a]. Après une hésitation modeste elle accepta ; mais avant de se décider, elle désira savoir quelle heure il était. Je

---

1. *Mantille* : écharpe (souvent noire) dont les Espagnoles se couvrent la tête et les épaules.
2. Vers du *Cid* de Corneille (IV, 3).
3. *Papelitos* : cigares enveloppés de papier, cigarettes.
a. Café pourvu d'une glacière, ou plutôt d'un dépôt de neige. En Espagne, il n'y a guère de village qui n'ait sa *neveria*. (*Note de Mérimée.*)

70 fis sonner ma montre, et cette sonnerie parut l'étonner beaucoup.

— Quelles inventions on a chez vous, messieurs les étrangers! De quel pays êtes-vous, monsieur? Anglais sans doute[a]?

75 — Français et votre grand serviteur. Et vous mademoiselle, ou madame, vous êtes probablement de Cordoue?

— Non.

— Vous êtes du moins Andalouse. Il me semble 80 le reconnaître à votre doux parler.

— Si vous remarquez si bien l'accent du monde, vous devez bien deviner qui je suis.

— Je crois que vous êtes du pays de Jésus, à deux pas du paradis.

85 (J'avais appris cette métaphore, qui désigne l'Andalousie, de mon ami Francisco Sevilla, picador[1] bien connu.)

— Bah! le paradis… les gens d'ici disent qu'il n'est pas fait pour nous.

90 — Alors, vous seriez donc Moresque[2], ou… je m'arrêtai, n'osant dire : juive.

— Allons, allons! vous voyez bien que je suis bohémienne; voulez-vous que je vous dise *la baji*[b]?

---

a. En Espagne, tout voyageur qui ne porte pas avec lui des échantillons de calicot ou de soieries passe pour un Anglais, *Inglesito*. Il en est de même en Orient. À Chalcis, j'ai eu l'honneur d'être annoncé comme un Μιλόρδος Φραντζέσος. (*Note de Mérimée.*)

1. *Picador* : cavalier qui fatigue le taureau au moyen d'une pique.

2. *Moresque* (ou *mauresque*) : femme maure, peuple originaire du nord de l'Afrique et qui conquit au Moyen Âge le sud de l'Espagne.

b. La bonne aventure. (*Note de Mérimée.*)

Avez-vous entendu parler de la Carmencita? C'est moi. 95

J'étais alors un tel mécréant[1], il y a de cela quinze ans, que je ne reculai pas d'horreur en me voyant à côté d'une sorcière. — Bon! me dis-je; la semaine passée, j'ai soupé avec un voleur de grands chemins, allons aujourd'hui prendre des glaces 100 avec une servante du diable. En voyage il faut tout voir. J'avais encore un autre motif pour cultiver sa connaissance. Sortant du collège, je l'avouerai à ma honte, j'avais perdu quelque temps à étudier les sciences occultes[2] et même plusieurs fois j'avais 105 tenté de conjurer l'esprit de ténèbres. Guéri depuis longtemps de la passion de semblables recherches, je n'en conservais pas moins un certain attrait de curiosité pour toutes les superstitions, et me faisais une fête d'apprendre jusqu'où s'était élevé l'art de 110 la magie parmi les Bohémiens.

Tout en causant, nous étions entrés dans la *neveria,* et nous étions assis à une petite table éclairée par une bougie renfermée dans un globe de verre. J'eus alors tout le loisir d'examiner ma *gitana* pen- 115 dant que quelques honnêtes gens s'ébahissaient, en prenant leurs glaces, de me voir en si bonne compagnie.

Je doute fort que mademoiselle Carmen fût de race pure, du moins elle était infiniment plus jolie 120 que toutes les femmes de sa nation que j'aie jamais rencontrées. Pour qu'une femme soit belle, il faut,

1. *Mécréant* : qui n'a pas de religion.
2. *Les sciences occultes* : pratiques secrètes comme l'alchimie, la sorcellerie, l'astronomie, etc., qui n'étaient pas reconnues par les scientifiques et condamnées par l'Église.

disent les Espagnols, qu'elle réunisse trente *si*, ou, si l'on veut, qu'on puisse la définir au moyen de dix
125 adjectifs applicables chacun à trois parties de sa personne. Par exemple, elle doit avoir trois choses noires : les yeux, les paupières et les sourcils; trois fines, les doigts, les lèvres, les cheveux, etc. Voyez Brantôme pour le reste[1]. Ma bohémienne ne pou-
130 vait prétendre à tant de perfections. Sa peau, d'ailleurs parfaitement unie, approchait fort de la teinte du cuivre. Ses yeux étaient obliques, mais admirablement fendus; ses lèvres un peu fortes, mais bien dessinées et laissant voir des dents plus
135 blanches que des amandes sans leur peau. Ses cheveux, peut-être un peu gros, étaient noirs, à reflets bleus comme l'aile d'un corbeau, longs et luisants. Pour ne pas vous fatiguer d'une description trop prolixe[2], je vous dirai en somme qu'à chaque défaut
140 elle réunissait une qualité qui ressortait peut-être plus fortement par le contraste. C'était une beauté étrange et sauvage, une figure qui étonnait d'abord, mais qu'on ne pouvait oublier. Ses yeux surtout avaient une expression à la fois voluptueuse et
145 farouche que je n'ai trouvée depuis à aucun regard humain. Œil de bohémien, œil de loup, c'est un dicton espagnol qui dénote une bonne observation. Si vous n'avez pas le temps d'aller au jardin des Plantes pour étudier le regard d'un loup, considé-
150 rez votre chat quand il guette un moineau.

1. *Brantôme* : Pierre de Brantôme (vers 1538-1614) énumère les trente perfections de la femme espagnole dans son *Recueil des Dames*.
2. *Prolixe* : bavarde.

On sent qu'il eût été ridicule de se faire tirer la bonne aventure dans un café. Aussi je priai la jolie sorcière de me permettre de l'accompagner à son domicile ; elle y consentit sans difficulté, mais elle voulut connaître encore la marche du temps, et me pria de nouveau de faire sonner ma montre. 155

— Est-elle vraiment d'or ? dit-elle en la considérant avec une excessive attention.

Quand nous nous remîmes en marche, il était nuit close ; la plupart des boutiques étaient fermées et les rues presque désertes. Nous passâmes le pont du Guadalquivir, et à l'extrémité du faubourg nous nous arrêtâmes devant une maison qui n'avait nullement l'apparence d'un palais. Un enfant nous ouvrit. La bohémienne lui dit quelques mots dans une langue à moi inconnue, que je sus depuis être la *rommani* ou *chipe calli,* l'idiome[1] des gitanos. Aussitôt l'enfant disparut, nous laissant dans une chambre assez vaste, meublée d'une petite table, de deux tabourets et d'un coffre. Je ne dois point oublier une jarre d'eau, un tas d'oranges et une botte d'oignons. 160 165 170

Dès que nous fûmes seuls, la bohémienne tira de son coffre des cartes qui paraissaient avoir beaucoup servi, un aimant, un caméléon desséché, et quelques autres objets nécessaires à son art. Puis elle me dit de faire la croix dans ma main gauche avec une pièce de monnaie, et les cérémonies magiques commencèrent. Il est inutile de vous rapporter ses prédictions, et, quant à sa manière d'opérer, il était évident qu'elle n'était pas sorcière à demi. 175 180

1. *Idiome* : langue.

Malheureusement nous fûmes bientôt dérangés. La porte s'ouvrit tout à coup avec violence, et un
185 homme, enveloppé jusqu'aux yeux dans un manteau brun entra dans la chambre en apostrophant la bohémienne d'une façon peu gracieuse. Je n'entendais pas[1] ce qu'il disait, mais le ton de sa voix indiquait qu'il était de fort mauvaise humeur. À sa
190 vue, la gitana ne montra ni surprise ni colère, mais elle accourut à sa rencontre, et, avec une volubilité[2] extraordinaire, lui adressa quelques phrases dans la langue mystérieuse dont elle s'était déjà servie devant moi. Le mot de *payllo*, souvent répété, était le
195 seul mot que je comprisse. Je savais que les bohémiens désignent ainsi tout homme étranger à leur race. Supposant qu'il s'agissait de moi, je m'attendais à une explication délicate ; déjà j'avais la main sur le pied d'un des tabourets, et je syllogisais[3] à
200 part moi pour deviner le moment précis où il conviendrait de le jeter à la tête de l'intrus. Celui-ci repoussa rudement la bohémienne, et s'avança vers moi ; puis, reculant d'un pas :

— Ah ! Monsieur, dit-il, c'est vous !

205 Je le regardai à mon tour, et reconnus mon ami don José. En ce moment, je regrettais un peu de ne pas l'avoir laissé pendre.

— Eh ! c'est vous, mon brave ! m'écriai-je en riant le moins jaune que je pus ; vous avez inter-
210 rompu mademoiselle au moment où elle m'annonçait des choses bien intéressantes.

1. *Je n'entendais pas* : je ne comprenais pas.
2. *Volubilité* : fait de s'exprimer avec facilité et rapidité.
3. *Je syllogisais* : je formais des syllogismes, je préparais mon argumentation.

— Toujours la même ! Ça finira, dit-il entre ses dents, attachant sur elle un regard farouche.

Cependant la bohémienne continuait à lui parler dans sa langue. Elle s'animait par degrés. Son œil s'injectait de sang et devenait terrible, ses traits se contractaient, elle frappait du pied. Il me sembla qu'elle le pressait vivement de faire quelque chose à quoi il montrait de l'hésitation. Ce que c'était, je croyais ne le comprendre que trop à la voir passer et repasser rapidement sa petite main sous son menton. J'étais tenté de croire qu'il s'agissait d'une gorge à couper, et j'avais quelques soupçons que cette gorge ne fût la mienne.

À tout ce torrent d'éloquence, don José ne répondit que par deux ou trois mots prononcés d'un ton bref. Alors la bohémienne lui lança un regard de profond mépris ; puis, s'asseyant à la turque dans un coin de la chambre, elle choisit une orange, la pela et se mit à la manger.

Don José me prit le bras, ouvrit la porte et me conduisit dans la rue. Nous fîmes environ deux cents pas dans le plus profond silence. Puis, étendant la main :

— Toujours tout droit, dit-il, et vous trouverez le pont.

Aussitôt il me tourna le dos et s'éloigna rapidement. Je revins à mon auberge un peu penaud[1] et d'assez mauvaise humeur. Le pire fut qu'en me déshabillant, je m'aperçus que ma montre me manquait.

Diverses considérations m'empêchèrent d'aller la réclamer le lendemain, ou de solliciter M. le cor-

1. *Penaud* : honteux à la suite d'une maladresse.

régidor[1] pour qu'il voulût bien la faire chercher. Je
245 terminai mon travail sur le manuscrit des Dominicains et je partis pour Séville. Après plusieurs mois de courses errantes en Andalousie, je voulus retourner à Madrid, et il me fallut repasser par Cordoue. Je n'avais pas l'intention d'y faire un
250 long séjour, car j'avais pris en grippe cette belle ville et les baigneuses du Guadalquivir. Cependant quelques amis à revoir, quelques commissions à faire devaient me retenir au moins trois ou quatre jours dans l'antique capitale des princes musul-
255 mans.

Dès que je reparus au couvent des Dominicains, un des pères qui m'avait toujours montré un vif intérêt dans mes recherches sur l'emplacement de Munda, m'accueillit les bras ouverts, en s'écriant :

260 — Loué soit le nom de Dieu ! Soyez le bienvenu, mon cher ami. Nous vous croyions tous mort, et moi, qui vous parle, j'ai récité bien des *pater* et des *ave*[2], que je ne regrette pas, pour le salut de votre âme. Ainsi vous n'êtes pas assassiné, car pour volé
265 nous savons que vous l'êtes ?

— Comment cela ? lui demandai-je un peu surpris.

— Oui, vous savez bien, cette belle montre à répétition que vous faisiez sonner dans la biblio-
270 thèque, quand nous vous disions qu'il était temps d'aller au chœur. Eh bien ! elle est retrouvée, on vous la rendra.

1. *Corrégidor* : officier de justice.
2. *Des pater et des ave* : prières chrétiennes, il s'agit du *Pater noster* (Notre Père) et de l'*Ave Maria* (Je vous salue Marie).

— C'est-à-dire, interrompis-je un peu décontenancé, que je l'avais égarée…

— Le coquin est sous les verrous, et, comme on savait qu'il était homme à tirer un coup de fusil à un chrétien pour lui prendre une piécette, nous mourions de peur qu'il ne vous eût tué. J'irai avec vous chez le corrégidor, et nous vous ferons rendre votre belle montre. Et puis, avisez-vous de dire là-bas que la justice ne sait pas son métier en Espagne !

— Je vous avoue, lui dis-je, que j'aimerais mieux perdre ma montre que de témoigner, en justice pour faire pendre un pauvre diable, surtout parce que… parce que…

— Oh ! n'ayez aucune inquiétude ; il est bien recommandé, et on ne peut le pendre deux fois. Quand je dis pendre, je me trompe. C'est un hidalgo[1] que votre voleur ; il sera donc *garrotté*[2] après-demain sans rémission[a]. Vous voyez qu'un vol de plus ou de moins ne changera rien à son affaire. Plût à Dieu qu'il n'eût que volé ! mais il a commis plusieurs meurtres, tous plus horribles les uns que les autres.

— Comment se nomme-t-il ?

— On le connaît dans le pays sous le nom de José Navarro ; mais il a encore un autre nom basque, que ni vous ni moi ne prononcerons jamais. Tenez, c'est un homme à voir, et vous qui aimez à connaître les singularités du pays, vous ne devez pas négliger

1. *Hidalgo* : noble, de *hijo de algo*, « fils de quelque chose ».
2. *Garrotté* : étranglé par un collier de fer.
a. En 1830, la noblesse jouissait encore de ce privilège. Aujourd'hui, sous le régime constitutionnel, les vilains ont conquis le droit au *garrote*. (*Note de Mérimée.*)

d'apprendre comment en Espagne les coquins sortent de ce monde. Il est en chapelle, et le père Martinez vous y conduira.

Mon Dominicain insista tellement pour que je
305 visse les apprêts du « *petit pendement pien choli*[1] », que je ne pus m'en défendre. J'allai voir le prisonnier, muni d'un paquet de cigares qui, je l'espérais, devaient lui faire excuser mon indiscrétion.

On m'introduisit auprès de don José, au
310 moment où il prenait son repas. Il me fit un signe de tête assez froid, et me remercia poliment du cadeau que je lui apportais. Après avoir compté les cigares du paquet que j'avais mis entre ses mains, il en choisit un certain nombre et me rendit le reste,
315 observant qu'il n'avait pas besoin d'en prendre davantage.

Je lui demandai si, avec un peu d'argent, ou par le crédit[2] de mes amis, je pourrais obtenir quelque adoucissement à son sort. D'abord il haussa les
320 épaules en souriant avec tristesse ; bientôt, se ravisant, il me pria de faire dire une messe pour le salut de son âme.

— Voudriez-vous, ajouta-t-il timidement, voudriez-vous en faire dire une autre pour une per-
325 sonne qui vous a offensé ?

— Assurément, mon cher, lui dis-je ; mais personne, que je sache, ne m'a offensé en ce pays.

Il me prit la main et la serra d'un air grave. Après un moment de silence, il reprit :

330 — Oserai-je encore vous demander un service ?...

1. Molière, *Monsieur de Pourceaugnac* (III, 3).
2. *Crédit* : influence.

Quand vous reviendrez dans votre pays, peut-être passerez-vous par la Navarre : au moins vous passerez par Vittoria, qui n'en est pas fort éloignée.

— Oui, lui dis-je, je passerai certainement par Vittoria; mais il n'est pas impossible que je me détourne pour aller à Pampelune, et, à cause de vous, je crois que je ferais volontiers ce détour. 335

— Eh bien! si vous allez à Pampelune, vous y verrez plus d'une chose qui vous intéressera... C'est une belle ville... Je vous donnerai cette médaille (il me montrait une petite médaille d'argent qu'il portait au cou), vous l'envelopperez dans du papier... il s'arrêta un instant pour maîtriser son émotion... et vous la remettrez ou vous la ferez remettre à une bonne femme dont je vous dirai l'adresse. — Vous direz que je suis mort, vous ne direz pas comment. 340 345

Je promis d'exécuter sa commission. Je le revis le lendemain, et je passai une partie de la journée avec lui. C'est de sa bouche que j'ai appris les tristes aventures qu'on va lire. 350

3

Je suis né, dit-il, à Elizondo, dans la vallée de Baztan. Je m'appelle don José Lizarrabengoa, et vous connaissez assez l'Espagne, Monsieur, pour que mon nom vous dise aussitôt que je suis Basque et vieux chrétien. Si je prends le *don,* c'est que j'en ai le droit, et si j'étais à Elizondo, je vous montrerais ma généalogie sur parchemin. On voulait que je fusse d'église, et l'on me fit étudier, mais je ne profitais guère. J'aimais trop à jouer à la paume[1], c'est ce qui m'a perdu. Quand nous jouons à la paume, nous autres Navarrais, nous oublions tout. Un jour que j'avais gagné, un gars de l'Alava[2] me chercha querelle ; nous prîmes nos *maquilas*[3], et j'eus encore l'avantage ; mais cela m'obligea de quitter le pays. Je rencontrai des dragons, et je m'engageai dans le régiment d'Almanza, cavalerie. Les gens de nos montagnes apprennent vite le métier militaire. Je devins bientôt brigadier, et on me promettait de me

1. *À la paume* : au jeu de paume, jeu de balle, ancêtre du tennis.
2. *Alava* : province basque.
3. Bâtons ferrés des Basques. (*Note de Mérimée.*)

faire maréchal des logis, quand, pour mon malheur, on me mit de garde à la manufacture[1] de tabacs à Séville. Si vous êtes allé à Séville, vous aurez vu ce grand bâtiment-là, hors des remparts, près du Guadalquivir. Il me semble en voir encore la porte et le corps de garde auprès. Quand ils sont de service, les Espagnols jouent aux cartes, ou dorment; moi, comme un franc Navarrais, je tâchais toujours de m'occuper. Je faisais une chaîne avec du fil de laiton, pour tenir mon épinglette[2]. Tout d'un coup, les camarades disent : Voilà la cloche qui sonne; les filles vont rentrer à l'ouvrage. Vous saurez, monsieur, qu'il y a bien quatre à cinq cents femmes occupées dans la manufacture. Ce sont elles qui roulent les cigares dans une grande salle, où les hommes n'entrent pas sans une permission du *Vingt-quatre*[a], parce qu'elles se mettent à leur aise, les jeunes surtout, quand il fait chaud. À l'heure où les ouvrières rentrent, après leur dîner, bien des jeunes gens vont les voir passer, et leur en content de toutes les couleurs. Il y a peu de ces demoiselles qui refusent une mantille de taffetas, et les amateurs, à cette pêche-là, n'ont qu'à se baisser pour prendre le poisson. Pendant que les autres regardaient, moi, je restais sur mon banc, près de la porte. J'étais jeune alors; je pensais toujours au pays, et je ne croyais pas qu'il y eût de jolies filles

1. *Manufacture* : fabrique, où l'on travaille surtout à la main.
2. *Épinglette* : longue tige qui servait à déboucher les armes à feu.
a. Magistrat chargé de la police et de l'administration municipale. (*Note de Mérimée.*)

Gitane dansant aux environs de Séville.
Gravure de Laplante d'après un dessin de Gustave Doré.

sans jupes bleues et sans nattes tombant sur les épaules[a]. D'ailleurs, les Andalouses me faisaient peur ; je n'étais pas encore fait à leurs manières : toujours à railler, jamais un mot de raison. J'étais donc le nez sur ma chaîne, quand j'entends des bourgeois qui disaient : Voilà la gitanilla ! Je levai les yeux, et je la vis. C'était un vendredi, et je ne l'oublierai jamais. Je vis cette Carmen que vous connaissez, chez qui je vous ai rencontré il y a quelques mois.

Elle avait un jupon rouge fort court qui laissait voir des bas de soie blancs avec plus d'un trou, et des souliers mignons de maroquin[1] rouge attachés avec des rubans couleur de feu. Elle écartait sa mantille afin de montrer ses épaules et un gros bouquet de cassie[2] qui sortait de sa chemise. Elle avait encore une fleur de cassie dans le coin de la bouche, et elle s'avançait en se balançant sur ses hanches comme une pouliche du haras de Cordoue. Dans mon pays, une femme en ce costume aurait obligé le monde à se signer[3]. À Séville, chacun lui adressait quelque compliment gaillard[4] sur sa tournure[5] ; elle répondait à chacun, faisant les yeux en coulisse, le poing sur la hanche, effrontée comme une vraie bohémienne qu'elle était. D'abord elle ne me plut pas, et je repris mon

a. Costume ordinaire des paysannes de la Navarre et des provinces basques. (*Note de Mérimée.*)

1. *Maroquin* : peau de chèvre ou de mouton tannée.
2. *Cassie* : fleur jaune très parfumée.
3. *Se signer* : faire le signe de croix.
4. *Gaillard* : osé, leste.
5. *Sa tournure* : son allure.

ouvrage ; mais elle, suivant l'usage des femmes et des chats qui ne viennent pas quand on les appelle et qui viennent quand on ne les appelle pas, s'arrêta devant moi et m'adressa la parole :

— Compère, me dit-elle à la façon andalouse, veux-tu me donner ta chaîne pour tenir les clefs de mon coffre-fort ?

— C'est pour attacher mon épinglette, lui répondis-je.

— Ton épinglette ! s'écria-t-elle en riant. Ah ! monsieur fait de la dentelle, puisqu'il a besoin d'épingles !

Tout le monde qui était là se mit à rire, et moi je me sentais rougir, et je ne pouvais trouver rien à lui répondre.

— Allons, mon cœur, reprit-elle, fais-moi sept aunes [1] de dentelle noire pour une mantille, épinglier de mon âme !

Et prenant la fleur de cassie qu'elle avait à la bouche, elle me la lança, d'un mouvement du pouce, juste entre les deux yeux. Monsieur, cela me fit l'effet d'une balle qui m'arrivait… Je ne savais où me fourrer, je demeurais immobile comme une planche. Quand elle fut entrée dans la manufacture, je vis la fleur de cassie qui était tombée à terre entre mes pieds ; je ne sais ce qui me prit, mais je la ramassai sans que mes camarades s'en aperçussent et je la mis précieusement dans ma veste. Première sottise !

Deux ou trois heures après, j'y pensais encore, quand arrive dans le corps de garde un portier tout

1. *Aunes* : anciennes mesures de longueur d'environ 1,20 m.

haletant, la figure renversée. Il nous dit que dans la grande salle des cigares il y avait une femme assassinée, et qu'il fallait y envoyer la garde. Le maréchal me dit de prendre deux hommes et d'y aller voir. Je prends mes hommes et je monte. Figurez-vous, monsieur, qu'entré dans la salle je trouve d'abord trois cents femmes en chemise, ou peu s'en faut, toutes criant, hurlant, gesticulant, faisant un vacarme à ne pas entendre Dieu tonner. D'un côté, il y en avait une, les quatre fers en l'air, couverte de sang, avec un X sur la figure qu'on venait de lui marquer en deux coups de couteau. En face de la blessée, que secouraient les meilleures de la bande, je vois Carmen tenue par cinq ou six commères. La femme blessée criait : Confession ! confession ! je suis morte ! Carmen ne disait rien ; elle serrait les dents, et roulait des yeux comme un caméléon. — Qu'est-ce que c'est ? demandai-je. J'eus grand-peine à savoir ce qui s'était passé, car toutes les ouvrières me parlaient à la fois. Il paraît que la femme blessée s'était vantée d'avoir assez d'argent en poche pour acheter un âne au marché de Triana [1]. — Tiens, dit Carmen qui avait une langue, tu n'as donc pas assez d'un balai ? — L'autre, blessée du reproche, peut-être parce qu'elle se sentait véreuse sur l'article, lui répond qu'elle ne se connaissait pas en balais, n'ayant pas l'honneur d'être bohémienne ni filleule de Satan, mais que mademoiselle Carmencita ferait bientôt connaissance avec son âne, quand M. le corrégidor la mènerait à la promenade avec deux laquais par-der-

1. *Triana* : faubourg de Séville.

rière pour l'émoucher[1]. — Eh bien, moi, dit
135 Carmen, je te ferai des abreuvoirs à mouches[2] sur la joue, et je veux y peindre un damier[a]. — Là-dessus, vli-vlan! elle commence, avec le couteau dont elle coupait le bout des cigares, à lui dessiner des croix de Saint-André sur la figure.

140 Le cas était clair; je pris Carmen par le bras : — Ma sœur, lui dis-je poliment, il faut me suivre. Elle me lança un regard comme si elle me reconnaissait; mais elle dit d'un air résigné : — Marchons. Où est ma mantille? Elle la mit sur sa tête de façon
145 à ne montrer qu'un seul de ses grands yeux, et suivit mes deux hommes, douce comme un mouton. Arrivés au corps de garde, le maréchal des logis dit que c'était grave, et qu'il fallait la mener à la prison. C'était encore moi qui devais la conduire. Je la mis
150 entre deux dragons[3] et je marchais derrière comme un brigadier doit faire en semblable rencontre. Nous nous mîmes en route pour la ville. D'abord la bohémienne avait gardé le silence; mais dans la rue du Serpent – vous la connaissez, elle mérite bien
155 son nom par les détours qu'elle fait –, dans la rue du Serpent, elle commence par laisser tomber sa mantille sur ses épaules, afin de me montrer son minois enjôleur, et, se tournant vers moi autant qu'elle pouvait, elle me dit :

160 — Mon officier, où me menez-vous?

1. *L'émoucher* : l'éventer pour écarter les mouches.
2. *Abreuvoirs à mouches* : plaies où les mouches peuvent boire.
a. *Pintar un javeque,* peindre un chebec. Les chebecs espagnols ont, pour la plupart, leur bande peinte à carreaux rouges et blancs. (*Note de Mérimée.*)
3. *Dragons* : soldats de cavalerie.

— À la prison, ma pauvre enfant, lui répondis-je le plus doucement que je pus, comme un bon soldat doit parler à un prisonnier, surtout à une femme.

— Hélas ! que deviendrai-je ? Seigneur officier, ayez pitié de moi. Vous êtes si jeune, si gentil !... Puis, d'un ton plus bas : Laissez-moi m'échapper, dit-elle, je vous donnerai un morceau de la *bar lachi,* qui vous fera aimer de toutes les femmes.

La *bar lachi,* monsieur, c'est la pierre d'aimant, avec laquelle les bohémiens prétendent qu'on fait quantité de sortilèges quand on sait s'en servir. Faites-en boire à une femme une pincée râpée dans un verre de vin blanc, elle ne résiste plus. Moi, je lui répondis le plus sérieusement que je pus :

— Nous ne sommes pas ici pour dire des balivernes [1] ; il faut aller à la prison, c'est la consigne, et il n'y a pas de remède.

Nous autres gens du Pays basque, nous avons un accent qui nous fait reconnaître facilement des Espagnols ; en revanche, il n'y en a pas un qui puisse seulement apprendre à dire *baï, jaona*[a]. Carmen donc n'eut pas de peine à deviner que je venais des provinces. Vous saurez que les bohémiens, monsieur, comme n'étant d'aucun pays, voyageant toujours, parlent toutes les langues, et la plupart sont chez eux en Portugal, en France, dans les provinces, en Catalogne, partout ; même avec les Maures et les Anglais, ils se font entendre. Carmen savait assez bien le basque.

— *Laguna, ene bihotsarena,* camarade de mon cœur, me dit-elle tout à coup, êtes-vous du pays ?

---

1. *Balivernes* : sornettes, sottises.

a. Oui, monsieur. (*Note de Mérimée.*)

Notre langue, monsieur, est si belle, que, lorsque nous l'entendons en pays étranger, cela nous fait tressaillir… « Je voudrais avoir un confesseur des 195 provinces », ajouta plus bas le bandit. Il reprit après un silence :

— Je suis d'Elizondo, lui répondis-je en basque, fort ému de l'entendre parler ma langue.

— Moi, je suis d'Etchalar[1], dit-elle. — C'est un 200 pays à quatre heures de chez nous. — J'ai été emmenée par des bohémiens à Séville. Je travaillais à la manufacture pour gagner de quoi retourner en Navarre, près de ma pauvre mère qui n'a que moi pour soutien, et un petit *barratcea* [a] avec vingt pom-205 miers à cidre. Ah ! si j'étais au pays, devant la montagne blanche ! On m'a insultée parce que je ne suis pas de ce pays de filous, marchands d'oranges pourries ; et ces gueuses se sont mises toutes contre moi, parce que je leur ai dit que tous leurs *jacques* [b] de 210 Séville, avec leurs couteaux, ne feraient pas peur à un gars de chez nous avec son béret bleu et son *maquila.* Camarade, mon ami, ne ferez-vous rien pour une payse [2] ?

Elle mentait, monsieur, elle a toujours menti. Je 215 ne sais pas si dans sa vie cette fille-là a jamais dit un mot de vérité ; mais, quand elle parlait, je la croyais : c'était plus fort que moi. Elle estropiait le basque, et je la crus Navarraise ; ses yeux seuls et sa bouche et son teint la disaient bohémienne. J'étais fou, je ne 220 faisais plus attention à rien. Je pensais que, si des

1. *Etchalar* : ville du Pays basque située au nord d'Elizondo.
a. Enclos, jardin. (*Note de Mérimée.*)
b. Braves, fanfarons. (*Note de Mérimée.*)
2. *Payse* : femme venant du même pays.

Julia Migenes incarne Carmen dans l'adaptation filmée de l'opéra de Bizet par Francesco Rosi (1984)

Espagnols s'étaient avisés de mal parler du pays, je leur aurais coupé la figure, tout comme elle venait de faire à sa camarade. Bref, j'étais comme un homme ivre; je commençais à dire des bêtises, 225 j'étais tout près d'en faire.

— Si je vous poussais, et si vous tombiez, mon pays[1], reprit-elle en basque, ce ne seraient pas ces deux conscrits[2] de Castillans qui me retiendraient...

Ma foi, j'oubliai la consigne et tout, et je lui dis :

230 — Eh bien, m'amie, ma payse, essayez, et que Notre-Dame de la Montagne vous soit en aide !

En ce moment, nous passions devant une de ces ruelles étroites comme il y en a tant à Séville. Tout à coup Carmen se retourne et me lance un coup de 235 poing dans la poitrine. Je me laissai tomber exprès à la renverse. D'un bond, elle saute par-dessus moi et se met à courir en nous montrant une paire de jambes !... On dit jambes de Basque : les siennes en valaient bien d'autres... aussi vites [3] que bien tour-240 nées. Moi, je me relève aussitôt; mais je mets ma lance[a] en travers, de façon à barrer la rue, si bien que, de prime abord, les camarades furent arrêtés au moment de la poursuivre. Puis je me mis moi-même à courir, et eux après moi; mais l'atteindre ! il 245 n'y avait pas de risque, avec nos éperons, nos sabres et nos lances ! En moins de temps que je n'en mets à vous le dire, la prisonnière avait disparu. D'ailleurs, toutes les commères du quartier favorisaient sa

---

1. *Pays* : homme venant du même pays.
2. *Conscrits* : soldats.
3. *Vites* : rapides.
a. Toute la cavalerie espagnole est armée de lances. (*Note de Mérimée.*)

fuite, et se moquaient de nous, et nous indiquaient la fausse voie. Après plusieurs marches et contre- 250 marches, il fallut nous en revenir au corps de garde sans un reçu du gouverneur de la prison.

Mes hommes, pour n'être pas punis, dirent que Carmen m'avait parlé basque ; et il ne paraissait pas trop naturel, pour dire la vérité, qu'un coup de 255 poing d'une tant petite fille eût terrassé si facilement un gaillard de ma force. Tout cela parut louche, ou plutôt trop clair. En descendant la garde, je fus dégradé et envoyé pour un mois à la prison. C'était ma première punition depuis que j'étais au 260 service. Adieu les galons de maréchal des logis que je croyais déjà tenir !

Mes premiers jours de prison se passèrent fort tristement. En me faisant soldat, je m'étais figuré que je deviendrais tout au moins officier. Longa, 265 Mina, mes compatriotes, sont bien capitaines généraux ; Chapalangarra, qui est un négro[1] comme Mina, et réfugié comme lui dans votre pays, Chapalangarra était colonel, et j'ai joué à la paume vingt fois avec son frère, qui était un pauvre diable 270 comme moi. Maintenant je me disais : Tout le temps que tu as servi sans punition, c'est du temps perdu. Te voilà mal noté ; pour te remettre bien dans l'esprit des chefs, il te faudra travailler dix fois plus que lorsque tu es venu comme conscrit ! Et pour quoi 275 me suis-je fait punir ? Pour une coquine de bohémienne qui s'est moquée de moi, et qui, dans ce moment, est à voler dans quelque coin de la ville. Pourtant je ne pouvais m'empêcher de penser à

1. *Négro* : terme désignant un libéral ; *blanco* désignait un royaliste.

280 elle. Le croiriez-vous, monsieur? ses bas de soie troués qu'elle me faisait voir tout en plein en s'enfuyant, je les avais toujours devant les yeux. Je regardais par les barreaux de la prison dans la rue, et, parmi toutes les femmes qui passaient, je n'en 285 voyais pas une seule qui valût cette diable de fille-là. Et puis, malgré moi, je sentais la fleur de cassie qu'elle m'avait jetée, et qui, sèche, gardait toujours sa bonne odeur... S'il y a des sorcières, cette fille-là en était une!

290 Un jour, le geôlier entre, et me donne un pain d'Alcalà[a]. — Tenez, dit-il, voilà ce que votre cousine vous envoie. Je pris le pain, fort étonné, car je n'avais pas de cousine à Séville. C'est peut-être une erreur, pensai-je en regardant le pain; mais il était si 295 appétissant, il sentait si bon, que, sans m'inquiéter de savoir d'où il venait et à qui il était destiné, je résolus de le manger. En voulant le couper, mon couteau rencontra quelque chose de dur. Je regarde, et je trouve une petite lime anglaise qu'on 300 avait glissée dans la pâte avant que le pain fût cuit. Il y avait encore dans le pain une pièce d'or de deux piastres[1]. Plus de doute alors, c'était un cadeau de Carmen. Pour les gens de sa race, la liberté est tout, et ils mettraient le feu à une ville pour s'épargner 305 un jour de prison. D'ailleurs, la commère était fine, et avec ce pain-là on se moquait des geôliers. En une heure, le plus gros barreau était scié avec la petite

a. Alcalà de los Panaderos, bourg à deux lieues de Séville, où l'on fait des petits pains délicieux. On prétend que c'est à l'eau d'Alcalà qu'ils doivent leur qualité et l'on en apporte tous les jours une grande quantité à Séville. (*Note de Mérimée.*)

1. *Piastres* : ancienne monnaie.

lime ; et avec la pièce de deux piastres, chez le premier fripier, je changeais ma capote d'uniforme pour un habit bourgeois. Vous pensez bien qu'un homme qui avait déniché maintes fois des aiglons dans nos rochers ne s'embarrassait guère de descendre dans la rue, d'une fenêtre haute de moins de trente pieds [1] ; mais je ne voulais pas m'échapper. J'avais encore mon honneur de soldat, et déserter me semblait un grand crime. Seulement, je fus touché de cette marque de souvenir. Quand on est en prison, on aime à penser qu'on a dehors un ami qui s'intéresse à vous. La pièce d'or m'offusquait un peu, j'aurais bien voulu la rendre ; mais où trouver mon créancier ? cela ne me semblait pas facile.

Après la cérémonie de la dégradation, je croyais n'avoir plus rien à souffrir ; mais il me restait encore une humiliation à dévorer : ce fut à ma sortie de prison, lorsqu'on me commanda de service et qu'on me mit en faction comme un simple soldat. Vous ne pouvez vous figurer ce qu'un homme de cœur éprouve en pareille occasion. Je crois que j'aurais aimé autant à être fusillé. Au moins on marche seul, en avant de son peloton ; on se sent quelque chose ; le monde vous regarde.

Je fus mis en faction à la porte du colonel. C'était un jeune homme riche, bon enfant, qui aimait à s'amuser. Tous les jeunes officiers étaient chez lui, et force bourgeois, des femmes aussi, des actrices, à ce qu'on disait. Pour moi, il me semblait que toute la ville s'était donné rendez-vous à sa porte pour me regarder. Voilà qu'arrive la voiture du colonel, avec son valet de chambre sur le siège.

1. *Pied* : unité de mesure. Un pied mesure environ 32,4 cm.

340 Qu'est-ce que je vois descendre?... la gitanilla. Elle était parée, cette fois, comme une châsse[1], pomponnée, attifée, tout or et tout rubans. Une robe à paillettes, des souliers bleus à paillettes aussi, des fleurs et des galons partout. Elle avait un tambour 345 de basque à la main. Avec elle il y avait deux autres bohémiennes, une jeune et une vieille. Il y a toujours une vieille pour les mener; puis un vieux avec une guitare, bohémien aussi, pour jouer et les faire danser. Vous savez qu'on s'amuse souvent à faire 350 venir des bohémiennes dans les sociétés, afin de leur faire danser la *romalis*, c'est leur danse, et souvent bien autre chose.

Carmen me reconnut, et nous échangeâmes un regard. Je ne sais, mais, en ce moment, j'aurais 355 voulu être à cent pieds sous terre. — *Agur laguna* [a], dit-elle. Mon officier, tu montes la garde comme un conscrit! Et, avant que j'eusse trouvé un mot à répondre, elle était dans la maison.

Toute la société était dans le patio, et, malgré la 360 foule, je voyais à peu près tout ce qui se passait à travers la grille[b]. J'entendais les castagnettes, le tambour, les rires et les bravos; parfois j'apercevais sa tête quand elle sautait avec son tambour. Puis j'entendais encore des officiers qui lui disaient bien des 365 choses qui me faisaient monter le rouge à la figure.

1. *Châsse* : coffre où l'on garde les reliques d'un saint.

a. Bonjour, camarade. (*Note de Mérimée.*)

b. La plupart des maisons de Séville ont une cour intérieure entourée de portiques. On s'y tient en été. Cette cour est couverte d'une toile qu'on arrose pendant le jour et qu'on retire le soir. La porte de la rue est presque toujours couverte, et le passage qui conduit à la cour, *zaguan,* est fermé par une grille en fer très élégamment ouvragée. (*Note de Mérimée.*)

Ce qu'elle répondait, je n'en savais rien. C'est de ce jour-là, je pense, que je me mis à l'aimer pour tout de bon ; car l'idée me vint trois ou quatre fois d'entrer dans le patio, et de donner de mon sabre dans le ventre à tous ces freluquets qui lui contaient fleurettes. Mon supplice dura une bonne heure ; puis les bohémiens sortirent, et la voiture les ramena. Carmen, en passant, me regarda encore avec les yeux que vous savez, et me dit très bas : — Pays, quand on aime la bonne friture, on en va manger à Triana, chez Lillas Pastia. Légère comme un cabri, elle s'élança dans la voiture, le cocher fouetta ses mules, et toute la bande joyeuse s'en alla je ne sais où.

Vous devinez bien qu'en descendant ma garde j'allai à Triana ; mais d'abord je me fis raser et je me brossai comme pour un jour de parade. Elle était chez Lillas Pastia, un vieux marchand de friture, bohémien, noir comme un Maure, chez qui beaucoup de bourgeois venaient manger du poisson frit, surtout, je crois, depuis que Carmen y avait pris ses quartiers.

— Lillas, dit-elle sitôt qu'elle me vit, je ne fais plus rien de la journée. Demain il fera jour[a] ! Allons, pays, allons nous promener.

Elle mit sa mantille devant son nez, et nous voilà dans la rue, sans savoir où j'allais.

— Mademoiselle, lui dis-je, je crois que j'ai à vous remercier d'un présent que vous m'avez envoyé quand j'étais en prison. J'ai mangé le pain ; la lime me servira pour affiler ma lance, et je la garde comme souvenir de vous ; mais l'argent, le voilà.

---

a. *Mañana será otro día.* — Proverbe espagnol. (*Note de Mérimée*)

— Tiens! il a gardé l'argent, s'écria-t-elle en éclatant de rire. Au reste, tant mieux, car je ne suis
400 guère en fonds; mais qu'importe? chien qui chemine ne meurt pas de famine[a]. Allons, mangeons tout. Tu me régales[1].

Nous avions repris le chemin de Séville. À l'entrée de la rue du Serpent, elle acheta une douzaine
405 d'oranges, qu'elle me fit mettre dans mon mouchoir. Un peu plus loin, elle acheta encore un pain, du saucisson, une bouteille de manzanilla[2]; puis enfin elle entra chez un confiseur. Là, elle jeta sur le comptoir la pièce d'or que je lui avais rendue, une
410 autre encore, qu'elle avait dans sa poche, avec quelque argent blanc; enfin elle me demanda tout ce que j'avais. Je n'avais qu'une piécette et quelques cuartos[3], que je lui donnai, fort honteux de n'avoir pas davantage. Je crus qu'elle voulait emporter
415 toute la boutique. Elle prit tout ce qu'il y avait de plus beau et de plus cher, *yemas*[b], *turon*[c], fruits confits, tant que l'argent dura. Tout cela, il fallut encore que je le portasse dans des sacs de papier. Vous connaissez peut-être la rue du Candilejo, où il
420 y a une tête du roi don Pedro le Justicier[d]. Elle

a. *Chuquel sos pirela, / Cocal terela.* Chien qui marche, os trouve. — Proverbe bohémien. (*Note de Mérimée.*)
1. *Tu me régales* : tu m'offres un repas.
2. *Manzanilla* : vin blanc de la région de Séville.
3. *Cuartos* : petite monnaie de cuivre.
b. Jaunes d'œuf sucrés. (*Note de Mérimée.*)
c. Espèce de nougat. (*Note de Mérimée.*)
d. Le roi don Pèdre, que nous nommons *le Cruel,* et que la reine Isabelle la Catholique n'appelait jamais que *le Justicier,* aimait à se promener le soir dans les rues de Séville, cherchant les aventures, comme le calife Haroûn-al-Raschid. Certaine nuit, il se

aurait dû m'inspirer des réflexions. Nous nous arrêtâmes, dans cette rue-là, devant une vieille maison. Elle entra dans l'allée, et frappa au rez-de-chaussée. Une bohémienne, vraie servante de Satan, vint nous ouvrir. Carmen lui dit quelques mots en romani. La vieille grogna d'abord. Pour l'apaiser, Carmen lui donna deux oranges et une poignée de bonbons, et lui permit de goûter au vin. Puis elle lui mit sa mante[1] sur le dos et la conduisit à la porte, 425

---

prit de querelle, dans une rue écartée, avec un homme qui donnait une sérénade. On se battit, et le roi tua le cavalier amoureux. Au bruit des épées, une vieille femme mit la tête à la fenêtre, et éclaira la scène avec la petite lampe, *candilejo,* qu'elle tenait à la main. Il faut savoir que le roi don Pèdre, d'ailleurs leste et vigoureux, avait un défaut de conformation singulier. Quand il marchait, ses rotules craquaient fortement. La vieille, à ce craquement, n'eut pas de peine à le reconnaître. Le lendemain, le Vingt-quatre en charge vint faire son rapport au roi. « Sire, on s'est battu en duel, cette nuit, dans telle rue. Un des combattants est mort. — Avez-vous découvert le meurtrier ? — Oui, sire. — Pourquoi n'est-il pas déjà puni ? — Sire, j'attends vos ordres. — Exécutez la loi. » Or le roi venait de publier un décret portant que tout duelliste serait décapité, et que sa tête demeurerait exposée sur le lieu du combat. Le Vingt-quatre se tira d'affaire en homme d'esprit. Il fit scier la tête d'une statue du roi, et l'exposa dans une niche au milieu de la rue, théâtre du meurtre. Le roi et tous les Sévillans le trouvèrent fort bon. La rue prit son nom de la lampe de la vieille, seul témoin de l'aventure. — Voilà la tradition populaire. Zuñiga raconte l'histoire un peu différemment. (Voir *Anales de Sevilla,* t. II, p. 136.) Quoi qu'il en soit, il existe encore à Séville une rue du Candilejo, et dans cette rue un buste de pierre qu'on dit être le portrait de don Pèdre. Malheureusement, ce buste est moderne. L'ancien était fort usé au XVIIe siècle, et la municipalité d'alors le fit remplacer par celui qu'on voit aujourd'hui. (*Note de Mérimée.*)

1. *Mante* : manteau de femme très simple, ample et sans manches.

430 qu'elle ferma avec la barre de bois. Dès que nous fûmes seuls, elle se mit à danser et à rire comme une folle, en chantant : — Tu es mon *rom,* je suis ta *romi*[a]. — Moi, j'étais au milieu de la chambre, chargé de toutes ses emplettes, ne sachant où les poser. Elle 435 jeta tout par terre, et me sauta au cou, en me disant : — Je paye mes dettes, je paye mes dettes! c'est la loi des Calés[b]! — Ah! monsieur, cette journée-là! cette journée-là!... quand j'y pense, j'oublie celle de demain.

440 Le bandit se tut un instant; puis, après avoir rallumé son cigare, il reprit :

Nous passâmes ensemble toute la journée, mangeant, buvant, et le reste. Quand elle eut mangé des bonbons comme un enfant de six ans, elle en fourra 445 des poignées dans la jarre d'eau de la vieille. — C'est pour lui faire du sorbet, disait-elle. Elle écrasait des yemas en les lançant contre la muraille. — C'est pour que les mouches nous laissent tranquilles, disait-elle... Il n'y a pas de tour ni 450 de bêtise qu'elle ne fît. Je lui dis que je voudrais la voir danser; mais où trouver des castagnettes? Aussitôt elle prend la seule assiette de la vieille, la casse en morceaux, et la voilà qui danse la romalis en faisant claquer les morceaux de faïence aussi 455 bien que si elle avait eu des castagnettes d'ébène ou d'ivoire. On ne s'ennuyait pas auprès de cette fille-là, je vous en réponds. Le soir vint, et j'entendis les tambours qui battaient la retraite.

---

a. *Rom,* mari ; *romi,* femme.

b. *Calo*; féminin, *calli*; pluriel, *calés.* Mot à mot : *noir,* nom que les bohémiens se donnent dans leur langue. (*Note de Mérimée.*)

Zehava Gal, John Rath, dans *La Tragédie de Carmen*,
mise en scène de Peter Brook, théâtre des Bouffes du Nord (1981).

— Il faut que j'aille au quartier pour l'appel, lui
460 dis-je.

— Au quartier? dit-elle d'un air de mépris; tu es donc un nègre, pour te laisser mener à la baguette? Tu es un vrai canari, d'habit et de caractère[a]. Va, tu as un cœur de poulet. Je restai, résigné d'avance à la
465 salle de police. Le matin, ce fut elle qui parla la première de nous séparer. — Écoute, Joseito, dit-elle; t'ai-je payé? D'après notre loi, je ne te devais rien, puisque tu es un *payllo*; mais tu es un joli garçon, et tu m'as plu. Nous sommes quittes. Bonjour.

470 Je lui demandai quand je la reverrais.

— Quand tu seras moins niais, répondit-elle en riant. Puis, d'un ton plus sérieux : Sais-tu, mon fils, que je crois que je t'aime un peu? Mais cela ne peut durer. Chien et loup ne font pas longtemps
475 bon ménage. Peut-être que, si tu prenais la loi d'Égypte, j'aimerais à devenir ta romi. Mais, ce sont des bêtises : cela ne se peut pas. Bah! mon garçon, crois-moi, tu en es quitte à bon compte. Tu as rencontré le diable, oui, le diable; il n'est pas toujours
480 noir, et il ne t'a pas tordu le cou. Je suis habillée de laine, mais je ne suis pas mouton[b]. Va mettre un cierge devant ta *majari*[c] ; elle l'a bien gagné. Allons, adieu encore une fois. Ne pense plus à Carmencita, ou elle te ferait épouser une veuve à jambes de
485 bois[d].

a. Les dragons espagnols sont habillés de jaune. (*Note de Mérimée.*)

b. *Me dicas vriardâ de jorpoy, bus ne sino braco.* — Proverbe bohémien. (*Note de Mérimée.*)

c. La sainte, — la sainte Vierge. (*Note de Mérimée.*)

d. La potence, qui est veuve du dernier pendu. (*Note de Mérimée.*)

En parlant ainsi, elle défaisait la barre qui fermait la porte, et une fois dans la rue elle s'enveloppa dans sa mantille et me tourna les talons.

Elle disait vrai. J'aurais été sage de ne plus penser à elle ; mais, depuis cette journée dans la rue du Candilejo, je ne pouvais plus songer à autre chose. Je me promenais tout le jour, espérant la rencontrer. J'en demandais des nouvelles à la vieille et au marchand de friture. L'un et l'autre répondaient qu'elle était partie pour Laloro[a], c'est ainsi qu'ils appellent le Portugal. Probablement c'était d'après les instructions de Carmen qu'ils parlaient de la sorte, mais je ne tardai pas à savoir qu'ils mentaient. Quelques semaines après ma journée de la rue du Candilejo, je fus de faction à une des portes de la ville. À peu de distance de cette porte, il y avait une brèche qui s'était faite dans le mur d'enceinte ; on y travaillait pendant le jour, et la nuit on y mettait un factionnaire pour empêcher les fraudeurs. Pendant le jour, je vis Lillas Pastia passer et repasser autour du corps de garde, et causer avec quelques-uns de mes camarades ; tous le connaissaient, et ses poissons et ses beignets encore mieux. Il s'approcha de moi et me demanda si j'avais des nouvelles de Carmen.

— Non, lui dis-je.

— Eh bien, vous en aurez, compère.

Il ne se trompait pas. La nuit, je fus mis de faction à la brèche. Dès que le brigadier se fut retiré, je vis venir à moi une femme. Le cœur me disait que c'était Carmen. Cependant je criai :

a. La (terre) rouge. (*Note de Mérimée.*)

— Au large ! on ne passe pas !

— Ne faites donc pas le méchant, me dit-elle en se faisant connaître à moi.

520 — Quoi ! vous voilà, Carmen !

— Oui, mon pays. Parlons peu, parlons bien. Veux-tu gagner un douro[1] ? Il va venir des gens avec des paquets ; laisse-les faire.

— Non, répondis-je. Je dois les empêcher de pas-
525 ser ; c'est la consigne.

— La consigne ! la consigne ! Tu n'y pensais pas rue du Candilejo.

— Ah ! répondis-je, tout bouleversé par ce seul souvenir, cela valait bien la peine d'oublier la
530 consigne ; mais je ne veux pas de l'argent des contrebandiers.

— Voyons, si tu ne veux pas d'argent, veux-tu que nous allions encore dîner chez la vieille Dorothée ?

535 — Non ! dis-je à moitié étranglé par l'effort que je faisais. Je ne puis pas.

— Fort bien. Si tu es si difficile, je sais à qui m'adresser. J'offrirai à ton officier d'aller chez Dorothée. Il a l'air d'un bon enfant, et il fera mettre
540 en sentinelle un gaillard qui ne verra que ce qu'il faudra voir. Adieu, canari. Je rirai bien le jour où la consigne sera de te pendre.

J'eus la faiblesse de la rappeler, et je promis de laisser passer toute la bohème, s'il le fallait, pourvu
545 que j'obtinsse la seule récompense que je désirais. Elle me jura aussitôt de me tenir parole dès le lendemain, et courut prévenir ses amis, qui étaient à

1. *Douro* : monnaie qui valait alors une quinzaine de francs.

deux pas. Il y en avait cinq, dont était Pastia, tous bien chargés de marchandises anglaises. Carmen faisait le guet. Elle devait avertir avec ses castagnettes dès qu'elle apercevrait la ronde, mais elle n'en eut pas besoin. Les fraudeurs firent leur affaire en un instant. 550

Le lendemain, j'allai rue du Candilejo. Carmen se fit attendre, et vint d'assez mauvaise humeur. — Je n'aime pas les gens qui se font prier, dit-elle. Tu m'as rendu un plus grand service la première fois, sans savoir si tu y gagnerais quelque chose. Hier, tu as marchandé avec moi. Je ne sais pas pourquoi je suis venue, car je ne t'aime plus. Tiens, va-t'en, voilà un douro pour ta peine. — Peu s'en fallut que je ne lui jetasse la pièce à la tête, et je fus obligé de faire un effort violent sur moi-même pour ne pas la battre. Après nous être disputés pendant une heure, je sortis furieux. J'errai quelque temps par la ville, marchant deçà et delà comme un fou; enfin j'entrai dans une église, et, m'étant mis dans le coin le plus obscur, je pleurai à chaudes larmes. Tout d'un coup j'entends une voix : — Larmes de dragon[1] ! j'en veux faire un philtre[2]. — Je lève les yeux, c'était Carmen en face de moi. — Eh bien, mon pays, m'en voulez-vous encore ? me dit-elle. Il faut bien que je vous aime, malgré que j'en aie[3], car, depuis que vous m'avez quittée, je ne sais ce que j'ai. Voyons, maintenant c'est moi qui te demande si tu veux venir rue du Candilejo. — Nous fîmes donc la 555 560 565 570 575

1. *Larmes de dragon* : la phrase joue sur le double sens du mot dragon, soldat et animal fabuleux.
2. *Philtre* : breuvage magique.
3. *Malgré que j'en aie* : malgré moi.

paix; mais Carmen avait l'humeur comme est le temps chez nous. Jamais l'orage n'est si près dans nos montagnes que lorsque le soleil est le plus
580 brillant. Elle m'avait promis de me revoir une autre fois chez Dorothée, et elle ne vint pas. Et Dorothée me dit de plus belle qu'elle était allée à Laloro pour les affaires d'Égypte [1].

Sachant déjà par expérience à quoi m'en tenir
585 là-dessus, je cherchais Carmen partout où je croyais qu'elle pouvait être, et je passais vingt fois par jour dans la rue du Candilejo. Un soir, j'étais chez Dorothée, que j'avais presque apprivoisée en lui payant de temps à autre quelque verre d'anisette,
590 lorsque Carmen entra suivie d'un jeune homme, lieutenant dans notre régiment. — Va-t'en vite, me dit-elle en basque. — Je restai stupéfait, la rage dans le cœur. — Qu'est-ce que tu fais ici? me dit le lieutenant. Décampe, hors d'ici! — Je ne pouvais faire
595 un pas; j'étais comme perclus. L'officier, en colère, voyant que je ne me retirais pas, et que je n'avais pas même ôté mon bonnet de police, me prit au collet et me secoua rudement. Je ne sais ce que je lui dis. Il tira son épée, et je dégainai. La vieille me saisit le
600 bras, et le lieutenant me donna un coup au front, dont je porte encore la marque. Je reculai, et d'un coup de coude je jetai Dorothée à la renverse; puis, comme le lieutenant me poursuivait, je lui mis la pointe au corps, et il s'enferra. Carmen alors étei-
605 gnit la lampe, et dit dans sa langue à Dorothée de s'enfuir. Moi-même je me sauvai dans la rue, et me mis à courir sans savoir où. Il me semblait que quel-

1. *Les affaires d'Égypte* : trafics auxquels se livrent les Bohémiens.

qu'un me suivait. Quand je revins à moi, je trouvai que Carmen ne m'avait pas quitté. — Grand niais de canari! me dit-elle, tu ne sais faire que des 610 bêtises. Aussi bien, je te l'ai dit que je te porterais malheur. Allons, il y a remède à tout, quand on a pour bonne amie une Flamande de Rome[a]. Commence par mettre ce mouchoir sur ta tête, et jette-moi ce ceinturon. Attends-moi dans cette allée. 615 Je reviens dans deux minutes. — Elle disparut, et me rapporta bientôt une mante rayée qu'elle était allée chercher je ne sais où. Elle me fit quitter mon uniforme, et mettre la mante par-dessus ma chemise. Ainsi accoutré, avec le mouchoir dont elle 620 avait bandé la plaie que j'avais à la tête, je ressemblais assez à un paysan valencien, comme il y en a à Séville, qui viennent vendre leur orgeat de *chufas*[b]. Puis elle me mena dans une maison assez semblable à celle de Dorothée, au fond d'une petite ruelle. 625 Elle et une autre bohémienne me lavèrent, me pansèrent mieux que n'eût pu le faire un chirurgien-major, me firent boire je ne sais quoi; enfin, on me mit sur un matelas, et je m'endormis.

Probablement ces femmes avaient mêlé dans ma 630 boisson quelques-unes de ces drogues assoupissantes dont elles ont le secret, car je ne m'éveillai que fort tard le lendemain. J'avais un grand mal de

---

a. *Flamenca de Roma.* Terme d'argot qui désigne les bohémiennes. *Roma* ne veut pas dire ici la ville éternelle, mais la nation des Romi ou des *gens mariés,* nom que se donnent les bohémiens. Les premiers qu'on vit en Espagne venaient probablement des Pays-Bas, d'où est venu leur nom de *Flamands.* (*Note de Mérimée.*)

b. Racine bulbeuse dont on fait une boisson assez agréable. (*Note de Mérimée.*)

tête et un peu de fièvre. Il fallut quelque temps pour
635 que le souvenir me revînt de la terrible scène où
j'avais pris part la veille. Après avoir pansé ma plaie,
Carmen et son amie, accroupies toutes les deux sur
les talons auprès de mon matelas, échangèrent
quelques mots en *chipe calli,* qui paraissaient être
640 une consultation médicale. Puis toutes les deux
m'assurèrent que je serais guéri avant peu, mais
qu'il fallait quitter Séville le plus tôt possible; car, si
l'on m'y attrapait, j'y serais fusillé sans rémission. —
Mon garçon, me dit Carmen, il faut que tu fasses
645 quelque chose; maintenant que le roi ne te donne
plus ni riz ni merluche[a], il faut que tu songes à
gagner ta vie. Tu es trop bête pour voler *à pastesas*[b];
mais tu es leste et fort : si tu as du cœur, va-t'en à la
côte, et fais-toi contrebandier. Ne t'ai-je pas promis
650 de te faire pendre? Cela vaut mieux que d'être
fusillé. D'ailleurs, si tu sais t'y prendre, tu vivras
comme un prince, aussi longtemps que les miñons[c]
et les gardes-côtes ne te mettront pas la main sur le
collet.

655 Ce fut de cette façon engageante que cette diable
de fille me montra la nouvelle carrière qu'elle me
destinait, la seule, à vrai dire, qui me restât, maintenant que j'avais encouru la peine de mort. Vous le
dirai-je, monsieur? elle me détermina sans beau-
660 coup de peine. Il me semblait que je m'unissais à elle
plus intimement par cette vie de hasards et de rébel-
lion. Désormais je crus m'assurer son amour. J'avais

---

a. Nourriture ordinaire du soldat espagnol. (*Note de Mérimée.*)
b. *Ustilar à pastesas,* voler avec adresse, dérober sans violence. (*Note de Mérimée.*)
c. Espèce de corps franc. (*Note de Mérimée.*)

entendu souvent parler de quelques contrebandiers qui parcouraient l'Andalousie, montés sur un bon cheval, l'espingole au poing, leur maîtresse en croupe. Je me voyais déjà trottant par monts et par vaux avec la gentille bohémienne derrière moi. Quand je lui parlais de cela, elle riait à se tenir les côtés, et me disait qu'il n'y a rien de si beau qu'une nuit passée au bivouac, lorsque chaque rom se retire avec sa romi sous sa petite tente formée de trois cerceaux, avec une couverture par-dessus.

— Si je [te] tiens jamais dans la montagne, lui disais-je, je serai sûr de toi ! Là, il n'y a pas de lieutenant pour partager avec moi.

— Ah ! tu es jaloux, répondait-elle. Tant pis pour toi. Comment es-tu assez bête pour cela ? Ne vois-tu pas que je t'aime, puisque je ne t'ai jamais demandé d'argent ?

Lorsqu'elle parlait ainsi, j'avais envie de l'étrangler.

Pour le faire court, monsieur, Carmen me procura un habit bourgeois, avec lequel je sortis de Séville sans être reconnu. J'allai à Jerez avec une lettre de Pastia pour un marchand d'anisette chez qui se réunissaient des contrebandiers. On me présenta à ces gens-là, dont le chef, surnommé le Dancaïre[1], me reçut dans sa troupe. Nous partîmes pour Gaucin, où je retrouvai Carmen, qui m'y avait donné rendez-vous. Dans les expéditions, elle servait d'espion à nos gens, et de meilleur il n'y en eut jamais. Elle revenait de Gibraltar, et déjà elle avait arrangé avec un patron de navire l'embarquement

1. *Dancaïre* : en espagnol, celui qui joue avec l'argent d'autrui.

de marchandises anglaises que nous devions recevoir sur la côte. Nous allâmes les attendre près d'Estepona, puis nous en cachâmes une partie dans la montagne ; chargés du reste, nous nous rendîmes à Ronda. Carmen nous y avait précédés. Ce fut elle encore qui nous indiqua le moment où nous entrerions en ville. Ce premier voyage et quelques autres après furent heureux. La vie de contrebandier me plaisait mieux que la vie de soldat ; je faisais des cadeaux à Carmen. J'avais de l'argent et une maîtresse. Je n'avais guère de remords, car, comme disent les bohémiens : Gale avec plaisir ne démange pas[a]. Partout nous étions bien reçus ; mes compagnons me traitaient bien, et même me témoignaient de la considération. La raison, c'était que j'avais tué un homme, et parmi eux il y en avait qui n'avaient pas un pareil exploit sur la conscience. Mais ce qui me touchait davantage dans ma nouvelle vie, c'est que je voyais souvent Carmen. Elle me montrait plus d'amitié que jamais ; cependant, devant les camarades, elle ne convenait pas qu'elle était ma maîtresse ; et même, elle m'avait fait jurer par toutes sortes de serments de ne rien leur dire sur son compte. J'étais si faible devant cette créature, que j'obéissais à tous ses caprices. D'ailleurs, c'était la première fois qu'elle se montrait à moi avec la réserve d'une honnête femme, et j'étais assez simple pour croire qu'elle s'était véritablement corrigée de ses façons d'autrefois.

Notre troupe, qui se composait de huit ou dix hommes, ne se réunissait guère que dans les

a. *Sarapia sat pesquital ne punzava.* (*Note de Mérimée.*)

moments décisifs, et d'ordinaire nous étions disper- 725
sés deux à deux, trois à trois, dans les villes et les villages. Chacun de nous prétendait avoir un métier : celui-ci était chaudronnier, celui-là maquignon[1]; moi, j'étais marchand de merceries, mais je ne me montrais guère dans les gros endroits, à cause de 730
ma mauvaise affaire de Séville. Un jour, ou plutôt une nuit, notre rendez-vous était au bas de Véger. Le Dancaïre et moi nous nous y trouvâmes avant les autres. Il paraissait fort gai. — Nous allons avoir un camarade de plus, me dit-il. Carmen vient de faire 735
un de ses meilleurs tours. Elle vient de faire échapper son rom qui était au presidio à Tarifa[2]. — Je commençais déjà à comprendre le bohémien, que parlaient presque tous mes camarades, et ce mot de rom me causa un saisissement. — Comment! son 740
mari! elle est donc mariée? demandai-je au capitaine.

— Oui, répondit-il, à Garcia le Borgne, un bohémien aussi futé qu'elle. Le pauvre garçon était aux galères. Carmen a si bien embobeliné le chirurgien 745
du presidio, qu'elle en a obtenu la liberté de son rom. Ah! cette fille-là vaut son pesant d'or. Il y a deux ans qu'elle cherche à le faire évader. Rien n'a réussi, jusqu'à ce qu'on s'est avisé de changer le major. Avec celui-ci, il paraît qu'elle a trouvé bien 750
vite le moyen de s'entendre. — Vous vous imaginez le plaisir que me fit cette nouvelle. Je vis bientôt Garcia le Borgne; c'était bien le plus vilain monstre que la bohème ait nourri : noir de peau et plus noir d'âme, c'était le plus franc scélérat que j'aie ren- 755

1. *Maquignon* : marchand de chevaux.
2. *Au presidio à Tarifa* : en prison à Tarifa.

contré dans ma vie. Carmen vint avec lui ; et, lorsqu'elle l'appelait son rom devant moi, il fallait voir les yeux qu'elle me faisait, et ses grimaces quand Garcia tournait la tête. J'étais indigné, et je ne lui 760 parlais pas de la nuit. Le matin nous avions fait nos ballots, et nous étions déjà en route, quand nous nous aperçûmes qu'une douzaine de cavaliers étaient à nos trousses. Les fanfarons Andalous, qui ne parlaient que de tout massacrer, firent aussitôt 765 piteuse mine. Ce fut un sauve-qui-peut général. Le Dancaïre, Garcia, un joli garçon d'Ecija, qui s'appelait le Remendado[1], et Carmen ne perdirent pas la tête. Le reste avait abandonné les mulets, et s'était jeté dans les ravins où les chevaux ne pouvaient les 770 suivre. Nous ne pouvions conserver nos bêtes, et nous nous hâtâmes de défaire le meilleur de notre butin, et de le charger sur nos épaules, puis nous essayâmes de nous sauver au travers des rochers par les pentes les plus roides[2]. Nous jetions nos ballots 775 devant nous, et nous les suivions de notre mieux en glissant sur les talons. Pendant ce temps-là, l'ennemi nous canardait ; c'était la première fois que j'entendais siffler les balles, et cela ne me fit pas grand-chose. Quand on est en vue d'une femme, il 780 n'y a pas de mérite à se moquer de la mort. Nous nous échappâmes, excepté le pauvre Remendado, qui reçut un coup de feu dans les reins. Je jetai mon paquet, et j'essayai de le prendre. — Imbécile ! me cria Garcia, qu'avons-nous affaire d'une charogne ? 785 achève-le et ne perds pas les bas de coton. — Jette-le, jette-le ! me criait Carmen. — La fatigue m'obli-

1. *Remendado* : « déguenillé », surnom espagnol.
2. *Roides* : raides.

gea de le déposer un moment à l'abri d'un rocher. Garcia s'avança, et lui lâcha son espingole dans la tête. — Bien habile qui le reconnaîtrait maintenant, dit-il en regardant sa figure que douze balles avaient mise en morceaux. — Voilà, monsieur, la belle vie que j'ai menée. Le soir, nous nous trouvâmes dans un hallier[1], épuisés de fatigue, n'ayant rien à manger et ruinés par la perte de nos mulets. Que fit cet infernal Garcia? il tira un paquet de cartes de sa poche, et se mit à jouer avec le Dancaïre à la lueur d'un feu qu'ils allumèrent. Pendant ce temps-là, moi, j'étais couché, regardant les étoiles, pensant au Remendado, et me disant que j'aimerais autant être à sa place. Carmen était accroupie près de moi, et de temps en temps elle faisait un roulement de castagnettes en chantonnant. Puis, s'approchant comme pour me parler à l'oreille, elle m'embrassa, presque malgré moi, deux ou trois fois. — Tu es le diable, lui disais-je. — Oui, me répondait-elle.

Après quelques heures de repos, elle s'en fut à Gaucin, et le lendemain matin un petit chevrier[2] vint nous porter du pain. Nous demeurâmes là tout le jour, et la nuit nous nous rapprochâmes de Gaucin. Nous attendions des nouvelles de Carmen. Rien ne venait. Au jour, nous voyons un muletier qui menait une femme bien habillée, avec un parasol, et une petite fille qui paraissait sa domestique. Garcia nous dit : — Voilà deux mules et deux femmes que saint Nicolas nous envoie; j'aimerais mieux quatre mules; n'importe, j'en fais mon

1. *Hallier* : groupe de buissons serrés et touffus.
2. *Chevrier* : berger qui mène paître les chèvres.

affaire ! — Il prit son espingole et descendit vers le sentier en se cachant dans les broussailles. Nous le suivions, le Dancaïre et moi, à peu de distance. 820 Quand nous fûmes à portée, nous nous montrâmes, et nous criâmes au muletier de s'arrêter. La femme, en nous voyant, au lieu de s'effrayer, et notre toilette aurait suffi pour cela, fait un grand éclat de rire. — Ah ! les *lillipendi* qui me prennent pour une 825 *erani*[a] ! — C'était Carmen, mais si bien déguisée, que je ne l'aurais pas reconnue parlant une autre langue. Elle sauta en bas de sa mule, et causa quelque temps à voix basse avec le Dancaïre et Garcia, puis elle me dit : Canari, nous nous rever- 830 rons avant que tu sois pendu. Je vais à Gibraltar pour les affaires d'Égypte. Vous entendrez bientôt parler de moi. — Nous nous séparâmes après qu'elle nous eut indiqué un lieu où nous pourrions trouver un abri pour quelques jours. Cette fille était la provi- 835 dence de notre troupe. Nous reçûmes bientôt quelque argent qu'elle nous envoya, et un avis qui valait mieux pour nous : c'était que tel jour partiraient deux milords anglais, allant de Gibraltar à Grenade par tel chemin. À bon entendeur, salut. Ils 840 avaient de belles et bonnes guinées[1]. Garcia voulait les tuer, mais le Dancaïre et moi nous nous y opposâmes. Nous ne leur prîmes que l'argent et les montres, outre les chemises[2], dont nous avions grand besoin.

a. Les imbéciles qui me prennent pour une femme comme il faut. (*Note de Mérimée.*)

1. *Guinées* : monnaie anglaise.

2. *Les chemises* : souvenir d'une anecdote racontée dans la troisième des *Lettres d'Espagne*. Un jeune homme transportant des chemises est volé.

Monsieur, on devient coquin sans y penser. Une jolie fille vous fait perdre la tête, on se bat pour elle, un malheur arrive, il faut vivre à la montagne, et de contrebandier on devient voleur avant d'avoir réfléchi. Nous jugeâmes qu'il ne faisait pas bon pour nous dans les environs de Gibraltar après l'affaire des milords, et nous nous enfonçâmes dans la sierra de Ronda. — Vous m'avez parlé de José-Maria; tenez, c'est là que j'ai fait connaissance avec lui. Il menait sa maîtresse dans ses expéditions. C'était une jolie fille, sage, modeste, de bonnes manières; jamais un mot malhonnête, et un dévouement!... En revanche, il la rendait bien malheureuse. Il était toujours à courir après toutes les filles, il la malmenait, puis quelquefois il s'avisait de faire le jaloux. Une fois, il lui donna un coup de couteau. Eh bien, elle ne l'en aimait que davantage. Les femmes sont ainsi faites, les Andalouses surtout. Celle-là était fière de la cicatrice qu'elle avait au bras, et la montrait comme la plus belle chose du monde. Et puis José-Maria, par-dessus le marché, était le plus mauvais camarade!... Dans une expédition que nous fîmes, il s'arrangea si bien, que tout le profit lui en demeura, à nous les coups et l'embarras de l'affaire. Mais je reprends mon histoire. Nous n'entendions plus parler de Carmen. Le Dancaïre dit : — Il faut qu'un de nous aille à Gibraltar pour en avoir des nouvelles; elle doit avoir préparé quelque affaire. J'irais bien, mais je suis trop connu à Gibraltar. — Le borgne dit : — Moi aussi, on m'y connaît, j'y ai fait tant de farces aux Écrevisses[a]! et, comme je n'ai

a. Nom que le peuple en Espagne donne aux Anglais à cause de la couleur de leur uniforme. (*Note de Mérimée.*)

qu'un œil, je suis difficile à déguiser. — Il faut donc que j'y aille? dis-je à mon tour, enchanté à la seule idée de revoir Carmen; voyons, que faut-il faire? — Les autres me dirent : — Fais tant que de t'embar-
880 quer ou de passer par Saint-Roc, comme tu aimeras le mieux et, lorsque tu seras à Gibraltar, demande sur le port où demeure une marchande de chocolat qui s'appelle la Rollona; quand tu l'auras trouvée, tu sauras d'elle ce qui se passe là-bas. — Il fut
885 convenu que nous partirions tous les trois pour la sierra de Gaucin, que j'y laisserais mes deux compagnons, et que je me rendrais à Gibraltar comme un marchand de fruits. À Ronda, un homme qui était à nous m'avait procuré un passe-
890 port; à Gaucin, on me donna un âne : je le chargeai d'oranges et de melons, et je me mis en route. Arrivé à Gibraltar, je trouvai qu'on y connaissait bien la Rollona, mais elle était morte ou elle était allée à *finibus terrae* [a], et sa disparition expliquait, à
895 mon avis, comment nous avions perdu notre moyen de correspondre avec Carmen. Je mis mon âne dans une écurie, et, prenant mes oranges, j'allais par la ville comme pour les vendre, mais, en effet, pour voir si je ne rencontrerais pas quelque figure de
900 connaissance. Il y a là force canaille de tous les pays du monde, et c'est la tour de Babel [1], car on ne saurait faire dix pas dans une rue sans entendre parler autant de langues. Je voyais bien des gens d'Égypte,

a. Aux galères, ou bien à tous les diables. (*Note de Mérimée.*)

1. *La tour de Babel* : dans la Bible, immense tour que les hommes voulurent édifier par orgueil. Pour les en empêcher, Dieu fit en sorte que tous ses habitants parlent des langues différentes et ne puissent donc se comprendre.

mais je n'osais guère m'y fier; je les tâtais, et ils me tâtaient. Nous devinions bien que nous étions des coquins; l'important était de savoir si nous étions de la même bande. Après deux jours passés en courses inutiles, je n'avais rien appris touchant la Rollona ni Carmen, et je pensais à retourner auprès de mes camarades après avoir fait quelques emplettes, lorsqu'en me promenant dans une rue, au coucher du soleil, j'entends une voix de femme d'une fenêtre qui me dit : — Marchand d'oranges!... Je lève la tête, et je vois à un balcon Carmen, accoudée avec un officier en rouge, épaulettes d'or, cheveux frisés, tournure d'un gros mylord. Pour elle, elle était habillée superbement : un châle sur ses épaules, un peigne d'or, toute en soie; et la bonne pièce, toujours la même! riait à se tenir les côtés. L'Anglais, en baragouinant l'espagnol, me cria de monter, que madame voulait des oranges; et, Carmen me dit en basque : — Monte, et ne t'étonne de rien. — Rien, en effet, ne devait m'étonner de sa part. Je ne sais si j'eus plus de joie que de chagrin en la retrouvant. Il y avait à la porte un grand domestique anglais, poudré, qui me conduisit dans un salon magnifique. Carmen me dit aussitôt en basque : — Tu ne sais pas un mot d'espagnol, tu ne me connais pas. — Puis, se tournant vers l'Anglais : — Je vous le disais bien, je l'ai tout de suite reconnu pour un Basque; vous allez entendre quelle drôle de langue. Comme il a l'air bête, n'est-ce pas? On dirait un chat surpris dans un garde-manger. — Et toi, lui dis-je dans ma langue, tu as l'air d'une effrontée coquine, et j'ai bien envie de te balafrer la figure devant ton galant. — Mon galant! dit-elle, tiens, tu as deviné cela tout seul? Et tu es jaloux de cet imbécile-là? Tu es

encore plus niais qu'avant nos soirées de la rue du Candilejo. Ne vois-tu pas, sot que tu es, que je fais en
940 ce moment les affaires d'Égypte, et de la façon la plus brillante. Cette maison est à moi, les guinées de l'écrevisse seront à moi ; je le mène par le bout du nez ; je le mènerai d'où il ne sortira jamais.

— Et moi, lui dis-je, si tu fais encore les affaires
945 d'Égypte de cette manière-là, je ferai si bien que tu ne recommenceras plus.

— Ah ! oui-dà [1] ! Es-tu mon rom, pour me commander ? Le Borgne le trouve bon, qu'as-tu à y voir ? Ne devrais-tu pas être bien content d'être le seul qui
950 se puisse dire mon *minchorrò* [a] ?

— Qu'est-ce qu'il dit ? demanda l'Anglais.

— Il dit qu'il a soif et qu'il boirait bien un coup, répondit Carmen.

Et elle se renversa sur un canapé en éclatant de
955 rire à sa traduction.

Monsieur, quand cette fille-là riait, il n'y avait pas moyen de parler raison. Tout le monde riait avec elle. Ce grand Anglais se mit à rire aussi, comme un imbécile qu'il était, et ordonna qu'on m'apportât à
960 boire.

Pendant que je buvais : — Vois-tu cette bague qu'il a au doigt ? dit-elle ; si tu veux, je te la donnerai.

Moi je répondis : — Je donnerais un doigt pour
965 tenir ton mylord dans la montagne, chacun un maquila au poing.

— Maquila, qu'est-ce que cela veut dire ? demanda l'Anglais.

1. *Oui-dà* : oui bien sûr.

a. Mon amant, ou plutôt mon caprice. (*Note de Mérimée.*)

— Maquila, dit Carmen riant toujours, c'est une orange. N'est-ce pas un bien drôle de mot pour une orange ? Il dit qu'il voudrait vous faire manger du maquila.

— Oui ? dit l'Anglais. Eh bien ! apporte encore demain du maquila. — Pendant que nous parlions, le domestique entra et dit que le dîner était prêt. Alors l'Anglais se leva, me donna une piastre, et offrit son bras à Carmen, comme si elle ne pouvait pas marcher seule. Carmen, riant toujours, me dit : — Mon garçon, je ne puis t'inviter à dîner ; mais demain, dès que tu entendras le tambour pour la parade, viens ici avec des oranges. Tu trouveras une chambre mieux meublée que celle de la rue du Candilejo, et tu verras si je suis toujours ta Carmencita. Et puis nous parlerons des affaires d'Égypte. — Je ne répondis rien, et j'étais dans la rue que l'Anglais me criait : Apportez demain du maquila ! et j'entendais les éclats de rire de Carmen.

Je sortis ne sachant ce que je ferais, je ne dormis guère, et le matin je me trouvais si en colère contre cette traîtresse, que j'avais résolu de partir de Gibraltar sans la revoir ; mais, au premier roulement de tambour, tout mon courage m'abandonna : je pris ma natte d'oranges et je courus chez Carmen. Sa jalousie[1] était entrouverte, et je vis son grand œil noir qui me guettait. Le domestique poudré m'introduisit aussitôt ; Carmen lui donna une commission, et dès que nous fûmes seuls, elle partit d'un de ses éclats de rire de crocodile, et se jeta à mon cou.

1. *Jalousie* : volet mobile qui protège une fenêtre.

1000 Je ne l'avais jamais vue si belle. Parée comme une madone, parfumée... des meubles de soie, des rideaux brodés... ah!... et moi fait comme un voleur que j'étais. — Minchorrò! disait Carmen, j'ai envie de tout casser ici, de mettre le feu à la 1005 maison, et de m'enfuir à la sierra. — Et c'étaient des tendresses!... et puis des rires!... et elle dansait, et elle déchirait ses falbalas : jamais singe ne fit plus de gambades, de grimaces, de diableries. Quand elle eut repris son sérieux : — Écoute, me 1010 dit-elle, il s'agit de l'Égypte. Je veux qu'il me mène à Ronda, où j'ai une sœur religieuse... (Ici nouveaux éclats de rire.) Nous passons par un endroit que je te ferai dire. Vous tombez sur lui : pillé rasibus! Le mieux serait de l'escoffier[1]; mais, ajouta-t-1015 elle avec un sourire diabolique qu'elle avait dans de certains moments, et ce sourire-là, personne n'avait alors envie de l'imiter, — sais-tu ce qu'il faudrait faire? Que le Borgne paraisse le premier. Tenez-vous un peu en arrière; l'écrevisse est brave 1020 et adroit : il a de bons pistolets... Comprends-tu?... Elle s'interrompit par un nouvel éclat de rire qui me fit frissonner.

— Non, lui dis-je : je hais Garcia, mais c'est mon camarade. Un jour peut-être je t'en débarrasserai, 1025 mais nous réglerons nos comptes à la façon de mon pays. Je ne suis Égyptien que par hasard; et pour certaines choses, je serai toujours franc Navarrais, comme dit le proverbe[a].

1. *L'escoffier* : le tuer (de *escofir*, verbe provençal).
a. *Navarro fino.* (*Note de Mérimée.*)

Elle reprit : — Tu es une bête, un niais, un vrai *payllo*. Tu es comme le nain qui se croit grand quand 1030 il a pu cracher loin [a]. Tu ne m'aimes pas, va-t'en.

Quand elle me disait : Va-t'en, je ne pouvais m'en aller. Je promis de partir, de retourner auprès de mes camarades et d'attendre l'Anglais; de son côté, elle me promit d'être malade jusqu'au 1035 moment de quitter Gibraltar pour Ronda. Je demeurai encore deux jours à Gibraltar. Elle eut l'audace de me venir voir déguisée dans mon auberge. Je partis; moi aussi j'avais mon projet. Je retournai à notre rendez-vous, sachant le lieu et 1040 l'heure où l'Anglais et Carmen devaient passer. Je trouvai le Dancaïre et Garcia qui m'attendaient. Nous passâmes la nuit dans un bois auprès d'un feu de pommes de pin qui flambait à merveille. Je proposai à Garcia de jouer aux cartes. Il accepta. À 1045 la seconde partie, je lui dis qu'il trichait; il se mit à rire. Je lui jetai les cartes à la figure. Il voulut prendre son espingole; je mis le pied dessus, et je lui dis : — On dit que tu sais jouer du couteau comme le meilleur jaque [1] de Malaga, veux-tu t'es- 1050 sayer avec moi? — Le Dancaïre voulut nous séparer. J'avais donné deux ou trois coups de poing à Garcia. La colère l'avait rendu brave; il avait tiré son couteau, moi le mien. Nous dîmes tous deux au Dancaïre de nous laisser place libre et franc jeu. Il 1055 vit qu'il n'y avait pas moyen de nous arrêter, et il s'écarta. Garcia était déjà ployé en deux comme un chat prêt à s'élancer contre une souris. Il tenait son

a. *Or esorjié de or narsichislé, sin chismar lachinguel* — proverbe bohémien. La promesse d'un nain, c'est de cracher loin. (*Note de Mérimée.*)

1. *Jaque* : brave.

chapeau de la main gauche pour parer, son couteau en avant. C'est leur garde andalouse. Moi, je me mis à la navarraise, droit en face de lui, le bras gauche levé, la jambe gauche en avant, le couteau le long de la cuisse droite. Je me sentais plus fort qu'un géant. Il se lança sur moi comme un trait; je tournai sur le pied gauche, et il ne trouva plus rien devant lui; mais je l'atteignis à la gorge, et le couteau entra si avant, que ma main était sous son menton. Je retournai la lame si fort qu'elle se cassa. C'était fini. La lame sortit de la plaie lancée par un bouillon de sang gros comme le bras. Il tomba sur le nez roide comme un pieu. — Qu'as-tu fait? me dit le Dancaïre. — Écoute, lui dis-je : nous ne pouvions vivre ensemble. J'aime Carmen, et je veux être seul. D'ailleurs, Garcia était un coquin, et je me rappelle ce qu'il a fait au pauvre Remendado. Nous ne sommes plus que deux, mais nous sommes de bons garçons. Voyons, veux-tu de moi pour ami, à la vie à la mort? — Le Dancaïre me tendit la main. C'était un homme de cinquante ans. — Au diable les amourettes! s'écria-t-il. Si tu lui avais demandé Carmen, il te l'aurait vendue pour une piastre. Nous ne sommes plus que deux; comment ferons-nous demain? Laisse-moi faire tout seul, lui répondis-je. Maintenant je me moque du monde entier.

Nous enterrâmes Garcia, et nous allâmes placer notre camp deux cents pas plus loin. Le lendemain, Carmen et son Anglais passèrent avec deux muletiers et un domestique. Je dis au Dancaïre : Je me charge de l'Anglais. Fais peur aux autres, ils ne sont pas armés. L'Anglais avait du cœur. Si Carmen ne lui eût poussé le bras, il me tuait. Bref, je reconquis Carmen ce jour-là, et mon premier mot fut de lui dire qu'elle était veuve. Quand elle sut comment cela s'était passé : Tu seras toujours un lillipendi ! me dit-elle. Garcia devait te tuer. Ta garde navar- 1095 raise n'est qu'une bêtise, et il en a mis à l'ombre de plus habiles que toi. C'est que son temps était venu. Le tien viendra. — Et le tien, répondis-je, si tu n'es pas pour moi une vraie romi. — À la bonne heure, dit-elle ; j'ai vu plus d'une fois dans du marc du café 1100 que nous devions finir ensemble. Bah ! arrive qui plante ! Et elle fit claquer ses castagnettes, ce qu'elle faisait toujours quand elle voulait chasser quelque idée importune.

On s'oublie quand on parle de soi. Tous ces 1105 détails-là vous ennuient sans doute, mais j'ai bientôt fini. La vie que nous menions dura assez longtemps. Le Dancaïre et moi nous nous étions associé quelques camarades plus sûrs que les premiers, et nous nous occupions de contrebande, et aussi par- 1110 fois, il faut bien l'avouer, nous arrêtions sur la grande route, mais à la dernière extrémité, et lorsque nous ne pouvions faire autrement. D'ailleurs, nous ne maltraitions pas les voyageurs, et nous nous bornions à leur prendre leur argent. Pendant quelques 1115 mois, je fus content de Carmen ; elle continuait à nous être utile pour nos opérations, en nous avertissant des bons coups que nous pourrions faire. Elle se tenait, soit à Malaga, soit à Cordoue, soit à Grenade ; mais, sur un mot de moi, elle quittait tout, 1120 et venait me retrouver dans une venta isolée, ou même au bivouac. Une fois seulement, c'était à Malaga, elle me donna quelque inquiétude. Je sus qu'elle avait jeté son dévolu sur un négociant fort

1125 riche, avec lequel probablement elle se proposait de recommencer la plaisanterie de Gibraltar. Malgré tout ce que le Dancaïre put me dire pour m'arrêter, je partis, et j'entrai dans Malaga en plein jour. Je cherchai Carmen, et je l'emmenai aussitôt. Nous
1130 eûmes une verte explication. — Sais-tu, me dit-elle, que, depuis que tu es mon rom pour tout de bon, je t'aime moins que lorsque tu étais mon minchorrò ? Je ne veux pas être tourmentée, ni surtout commandée. Ce que je veux, c'est être libre et faire ce
1135 qui me plaît. Prends garde de me pousser à bout. Si tu m'ennuies, je trouverai quelque bon garçon qui te fera comme tu as fait au borgne. — Le Dancaïre nous raccommoda ; mais nous nous étions dit des choses qui nous restaient sur le cœur, et nous
1140 n'étions plus comme auparavant. Peu après, un malheur nous arriva. La troupe nous surprit. Le Dancaïre fut tué, ainsi que deux de mes camarades ; deux autres furent pris. Moi, je fus grièvement blessé, et, sans mon bon cheval, je demeurais entre
1145 les mains des soldats. Exténué de fatigue, ayant une balle dans le corps, j'allai me cacher dans un bois avec le seul compagnon qui me restât. Je m'évanouis en descendant de cheval, et je crus que j'allais crever dans les broussailles comme un lièvre qui a
1150 reçu du plomb. Mon camarade me porta dans une grotte que nous connaissions, puis il alla chercher Carmen. Elle était à Grenade, et aussitôt elle accourut. Pendant quinze jours, elle ne me quitta pas d'un instant. Elle ne ferma pas l'œil ; elle me soigna
1155 avec une adresse et des attentions que jamais femme n'a eues pour l'homme le plus aimé. Dès que je pus me tenir sur mes jambes, elle me mena à Grenade dans le plus grand secret. Les bohé-

miennes trouvent partout des asiles sûrs, et je passai plus de six semaines dans une maison, à deux portes du corrégidor qui me cherchait. Plus d'une fois, regardant derrière un volet, je le vis passer. Enfin je me rétablis ; mais j'avais fait bien des réflexions sur mon lit de douleur, et je projetais de changer de vie. Je parlai à Carmen de quitter l'Espagne ; et de chercher à vivre honnêtement dans le Nouveau-Monde. Elle se moqua de moi. — Nous ne sommes pas faits pour planter des choux, dit-elle ; notre destin, à nous, c'est de vivre aux dépens des payllos. Tiens, j'ai arrangé une affaire avec Nathan Ben-Joseph de Gibraltar. Il a des cotonnades qui n'attendent que toi pour passer. Il sait que tu es vivant. Il compte sur toi. Que diraient nos correspondants de Gibraltar, si tu leur manquais de parole ? Je me laissai entraîner, et je repris mon vilain commerce.

Pendant que j'étais caché à Grenade, il y eut des courses de taureaux où Carmen alla. En revenant, elle parla beaucoup d'un picador très adroit nommé Lucas. Elle savait le nom de son cheval, et combien lui coûtait sa veste brodée. Je n'y fis pas attention. Juanito, le camarade qui m'était resté, me dit, quelques jours après, qu'il avait vu Carmen avec Lucas chez un marchand du Zacatin. Cela commença à m'alarmer. Je demandai à Carmen comment et pourquoi elle avait fait connaissance avec le picador. — C'est un garçon, me dit-elle, avec qui on peut faire une affaire. Rivière qui fait du bruit, a de l'eau ou des cailloux [a]. Il a gagné 1 200 réaux [1] aux

a. *Len sos sonsi abela/Pani o reblendani terela.* — (Proverbe bohémien.) (*Note de Mérimée.*)

1. *Réaux* : argent. Le réal est une ancienne monnaie espagnole valant un quart de peseta.

courses. De deux choses l'une : ou bien il faut avoir cet argent; ou bien, comme c'est un bon cavalier et un gaillard de cœur, on peut l'enrôler dans notre bande. Un tel et un tel sont morts, tu as besoin de les remplacer. Prends-le avec toi.

— Je ne veux, répondis-je, ni de son argent, ni de sa personne, et je te défends de lui parler. — Prends garde, me dit-elle; lorsqu'on me défie de faire une chose, elle est bientôt faite ! — Heureusement, le picador partit pour Malaga, et moi, je me mis en devoir de faire entrer les cotonnades du juif. J'eus fort à faire dans cette expédition-là, Carmen aussi, et j'oubliai Lucas; peut-être aussi l'oublia-t-elle, pour le moment du moins. C'est vers ce temps, Monsieur, que je vous rencontrai, d'abord près de Montilla, puis après à Cordoue. Je ne vous parlerai pas de notre dernière entrevue. Vous en savez peut-être plus long que moi. Carmen vous vola votre montre; elle voulait encore votre argent, et surtout cette bague que je vois à votre doigt, et qui, dit-elle, est un anneau magique qu'il lui importait beaucoup de posséder. Nous eûmes une violente dispute, et je la frappai. Elle pâlit et pleura. C'était la première fois que je la voyais pleurer, et cela me fit un effet terrible. Je lui demandai pardon, mais elle me bouda pendant tout un jour, et, quand je repartis pour Montilla, elle ne voulut pas m'embrasser. — J'avais le cœur gros, lorsque, trois jours après, elle vint me trouver l'air riant et gaie comme pinson. Tout était oublié, et nous avions l'air d'amoureux de deux jours. Au moment de nous séparer, elle me dit : — Il y a une fête à Cordoue, je vais la voir, puis je saurai les gens qui s'en vont avec de l'argent, et je te le dirai. — Je la

laissai partir. Seul, je pensai à cette fête et à ce changement d'humeur de Carmen. Il faut qu'elle se soit vengée déjà, me dis-je, puisqu'elle est revenue la 1225
première. — Un paysan me dit qu'il y avait des taureaux à Cordoue. Voilà mon sang qui bouillonne, et, comme un fou, je pars, et je vais à la place. On me montra Lucas, et, sur le banc contre la barrière, je reconnus Carmen. Il me suffit de la voir une 1230
minute pour être sûr de mon fait. Lucas, au premier taureau, fit le joli cœur, comme je l'avais prévu. Il arracha la cocarde[a] du taureau et la porta à Carmen, qui s'en coiffa sur-le-champ. Le taureau se chargea de me venger. Lucas fut culbuté avec son 1235
cheval sur la poitrine, et le taureau par-dessus tous les deux. Je regardai Carmen, elle n'était déjà plus à sa place. Il m'était impossible de sortir de celle où j'étais, et je fus obligé d'attendre la fin des courses.

Alors j'allai à la maison que vous connaissez, et je 1240
m'y tins coi[1] toute la soirée et une partie de la nuit. Vers deux heures du matin, Carmen revint, et fut un peu surprise de me voir. — Viens avec moi, lui dis-je. — Eh bien ! dit-elle, partons ! — J'allai prendre mon cheval, je la mis en croupe, et nous marchâmes tout 1245
le reste de la nuit sans nous dire un seul mot. Nous nous arrêtâmes au jour dans une venta isolée, assez près d'un petit ermitage[2]. Là je dis à Carmen :

---

a. *La divisa,* nœud de rubans dont la couleur indique les pâturages d'où viennent les taureaux. Ce nœud est fixé dans la peau du taureau au moyen d'un crochet, et c'est le comble de la galanterie que de l'arracher à l'animal vivant, pour l'offrir à une femme. (*Note de Mérimée.*)

1. *Coi* : tranquille et silencieux.

2. *Ermitage* : lieu écarté et solitaire, parfois, maison de campagne retirée.

— Écoute, j'oublie tout. Je ne te parlerai de rien; mais jure-moi une chose : c'est que tu vas me suivre en Amérique, et que tu t'y tiendras tranquille.

— Non, dit-elle d'un ton boudeur, je ne veux pas aller en Amérique. Je me trouve bien ici.

— C'est parce que tu es près de Lucas; mais songes-y bien, s'il guérit, ce ne sera pas pour faire de vieux os. Au reste, pourquoi m'en prendre à lui? Je suis las de tuer tous tes amants; c'est toi que je tuerai.

Elle me regarda fixement de son regard sauvage, et me dit :

— J'ai toujours pensé que tu me tuerais. La première fois que je t'ai vu, je venais de rencontrer un prêtre à la porte de ma maison. Et cette nuit, en sortant de Cordoue, n'as-tu rien vu? Un lièvre a traversé le chemin entre les pieds de ton cheval. C'est écrit.

— Carmencita, lui demandais-je, est-ce que tu ne m'aimes plus?

Elle ne répondit rien. Elle était assise les jambes croisées sur une natte et faisait des traits par terre avec son doigt.

— Changeons de vie, Carmen, lui dis-je d'un ton suppliant. Allons vivre quelque part où nous ne serons jamais séparés. Tu sais que nous avons, pas loin d'ici, sous un chêne, cent vingt onces enterrées... Puis, nous avons des fonds encore chez le juif Ben-Joseph.

Elle se mit à sourire, et me dit :

— Moi d'abord, toi ensuite. Je sais bien que cela doit arriver ainsi.

— Réfléchis, repris-je; je suis au bout de ma patience et de mon courage; prends ton parti ou je prendrai le mien.

Je la quittai et j'allai me promener du côté de l'ermitage. Je trouvai l'ermite qui priait. J'attendis que sa prière fût finie; j'aurais bien voulu prier, mais je ne pouvais pas. Quand il se releva, j'allai à lui.

— Mon père, lui dis-je, voulez-vous prier pour quelqu'un qui est en grand péril?

— Je prie pour tous les affligés, dit-il.

— Pouvez-vous dire une messe pour une âme qui va peut-être paraître devant son Créateur?

— Oui, répondit-il en me regardant fixement.

Et, comme il y avait dans mon air quelque chose d'étrange, il voulut me faire parler :

— Il me semble que je vous ai vu, dit-il.

Je mis une piastre sur son banc.

— Quand direz-vous la messe? lui demandai-je.

— Dans une demi-heure. Le fils de l'aubergiste de là-bas va venir la servir. Dites-moi, jeune homme, n'avez-vous pas quelque chose sur la conscience qui vous tourmente? voulez-vous écouter les conseils d'un chrétien?

Je me sentais près de pleurer. Je lui dis que je reviendrais, et je me sauvai. J'allai me coucher sur l'herbe jusqu'à ce que j'entendisse la cloche. Alors je m'approchai, mais je restai en dehors de la chapelle. Quand la messe fut dite, je retournai à la venta. J'espérais presque que Carmen se serait enfuie; elle aurait pu prendre mon cheval et se sauver… mais je la retrouvai. Elle ne voulait pas qu'on pût dire que je lui avais fait peur. Pendant mon absence, elle avait défait l'ourlet de sa robe pour en retirer le plomb. Maintenant elle était devant une table, regardant dans une terrine pleine d'eau le plomb qu'elle avait fait fondre, et qu'elle venait d'y

jeter. Elle était si occupée de sa magie qu'elle ne s'aperçut pas d'abord de mon retour. Tantôt elle prenait un morceau de plomb et le tournait de tous
1320 les côtés d'un air triste, tantôt elle chantait quelqu'une de ces chansons magiques où elles invoquent Marie Padilla, la maîtresse de don Pedro, qui fut, dit-on la *Bari Crallisa,* ou la grande reine des bohémiens [a] :

1325 — Carmen, lui dis-je, voulez-vous venir avec moi?

Elle se leva, jeta sa sébile [1], et mit sa mantille sur sa tête comme prête à partir. On m'amena mon cheval, elle monta en croupe et nous nous éloi-
1330 gnâmes.

— Ainsi, lui dis-je, ma Carmen, après un bout de chemin, tu veux bien me suivre n'est-ce pas?

— Je te suis à la mort, oui, mais je ne vivrai plus avec toi.

1335 Nous étions dans une gorge solitaire; j'arrêtai mon cheval. — Est-ce ici? — dit-elle, et d'un bond elle fut à terre. Elle ôta sa mantille, la jeta à ses pieds, et se tint immobile un poing sur la hanche, me regardant fixement.

1340 — Tu veux me tuer, je le vois bien, dit-elle; c'est écrit, mais tu ne me feras pas céder.

— Je t'en prie, lui dis-je, sois raisonnable. Écoute-moi! tout le passé est oublié. Pourtant, tu le

a. On a accusé Marie Padilla d'avoir ensorcelé le roi don Pèdre. Une tradition populaire rapporte qu'elle avait fait présent à la reine Blanche de Bourbon d'une ceinture d'or, qui parut aux yeux fascinés du roi comme un serpent vivant. De là la répugnance qu'il montra toujours pour la malheureuse princesse. (*Note de Mérimée.*)

1. *Sébile* : petite coupe de bois.

sais, c'est toi qui m'as perdu ; c'est pour toi que je suis devenu un voleur et un meurtrier. Carmen ! ma Carmen ! laisse-moi te sauver et me sauver avec toi. 1345

— José, répondit-elle, tu me demandes l'impossible. Je ne t'aime plus ; toi, tu m'aimes encore, et c'est pour cela que tu veux me tuer. Je pourrais bien encore te faire quelque mensonge ; mais je ne veux pas m'en donner la peine. Tout est fini entre nous. Comme mon rom, tu as le droit de tuer ta romi ; mais Carmen sera toujours libre. Calli elle est née, calli elle mourra. 1350

— Tu aimes donc Lucas ? lui demandai-je. 1355

— Oui, je l'ai aimé, comme toi, un instant, moins que toi peut-être. À présent, je n'aime plus rien, et je me hais pour t'avoir aimé.

Je me jetai à ses pieds, je lui pris les mains, je les arrosai de mes larmes. Je lui rappelai tous les moments de bonheur que nous avions passés ensemble. Je lui offris de rester brigand pour lui plaire. Tout, monsieur, tout ! je lui offris tout, pourvu qu'elle voulût m'aimer encore ! 1360

— Elle me dit : — T'aimer encore, c'est impossible. Vivre avec toi, je ne le veux pas. — La fureur me possédait. Je tirai mon couteau. J'aurais voulu qu'elle eût peur et me demandât grâce, mais, cette femme était un démon. 1365

— Pour la dernière fois, m'écriai-je, veux-tu rester avec moi ? 1370

— Non ! non ! non ! dit-elle en frappant du pied, et elle tira de son doigt une bague que je lui avais donnée, et la jeta dans les broussailles.

Je la frappai deux fois. C'était le couteau du Borgne que j'avais pris, ayant cassé le mien. Elle tomba au second coup sans crier. Je crois encore 1375

Laura del Sol dans *Carmen*
du réalisateur espagnol Carlos Saura (1983).

voir son grand œil noir me regarder fixement; puis il devint trouble et se ferma. Je restai anéanti une bonne heure devant ce cadavre. Puis, je me rappelai 1380 que Carmen m'avait dit souvent qu'elle aimerait à être enterrée dans un bois. Je lui creusai une fosse avec mon couteau, et je l'y déposai. Je cherchai longtemps sa bague, et je la trouvai à la fin. Je la mis dans la fosse auprès d'elle, avec une petite croix. 1385 Peut-être ai-je eu tort. Ensuite je montai sur mon cheval, je galopai jusqu'à Cordoue, et au premier corps de garde je me fis connaître. J'ai dit que j'avais tué Carmen; mais je n'ai pas voulu dire où était son corps. L'ermite était un saint homme. Il a 1390 prié pour elle! Il a dit une messe pour son âme… Pauvre enfant! Ce sont les *Calé* qui sont coupables pour l'avoir élevée ainsi.

4

L'Espagne[1] est un des pays où se trouvent aujourd'hui, en plus grand nombre encore, ces nomades dispersés dans toute l'Europe, et connus sous les noms de *Bohémiens, Gitanos, Gypsies, Zigeuner,* etc. La plupart demeurent, ou plutôt mènent une vie errante dans les provinces du Sud et de l'Est, en Andalousie, en Estrémadure et dans le royaume de Murcie; il y en a beaucoup en Catalogne. Ces derniers passent souvent en France. On en rencontre dans toutes nos foires du Midi. D'ordinaire, les hommes exercent les métiers de maquignon, de vétérinaire et de tondeur de mulets; ils y joignent l'industrie de raccommoder les poêlons et les instruments de cuivre, sans parler de la contrebande et autres pratiques illicites. Les femmes disent la bonne aventure, mendient et vendent toutes sortes de drogues innocentes ou non.

1. *L'Espagne* : ce quatrième chapitre ne figurait pas dans *La Revue des Deux-Mondes*, il fut ajouté pour l'édition en volume en 1846.

Les caractères physiques des Bohémiens sont plus faciles à distinguer qu'à décrire, et lorsqu'on en a vu un seul, on reconnaîtrait entre mille un individu de cette race. La physionomie, l'expression, voilà surtout ce qui les sépare des peuples qui habitent le même pays. Leur teint est très basané, toujours plus foncé que celui des populations parmi lesquelles ils vivent. De là le nom de *Calé*, les noirs, par lequel ils se désignent souvent [a]. Leurs yeux sensiblement obliques, bien fendus, très noirs, sont ombragés par des cils longs et épais. On ne peut comparer leur regard qu'à celui d'une bête fauve. L'audace et la timidité s'y peignent tout à la fois, et sous ce rapport leurs yeux révèlent assez bien le caractère de la nation, rusée, hardie, mais craignant *naturellement les coups* comme Panurge [1]. Pour la plupart les hommes sont bien découplés [2], sveltes, agiles; je ne crois pas en avoir jamais vu un seul chargé d'embonpoint. En Allemagne, les Bohémiennes sont souvent très jolies; la beauté est fort rare parmi les gitanas d'Espagne. Très jeunes elles peuvent passer pour des laiderons agréables; mais une fois qu'elles sont mères, elles deviennent repoussantes. La saleté des deux sexes est incroyable, et qui n'a pas vu les cheveux d'une matrone bohémienne s'en fera difficilement une idée, même en se représentant les crins les plus

a. Il m'a semblé que les Bohémiens allemands, bien qu'ils comprennent parfaitement le mot *Calé*, n'aimaient point à être appelés de la sorte. Ils s'appellent entre eux *Romané tchavé*. (*Note de Mérimée.*)

1. *Panurge* : personnage du *Pantagruel* (ch. XXI) de Rabelais, qui « craignait naturellement » les coups.

2. *Bien découplés* : de belle taille, bien bâtis.

45 rudes, les plus gras, les plus poudreux. Dans quelques grandes villes d'Andalousie, certaines jeunes filles un peu plus agréables que les autres, prennent plus de soin de leur personne. Celles-là vont danser pour de l'argent, des danses qui res-
50 semblent fort à celles que l'on interdit dans nos bals publics du carnaval. M. Borrow, missionnaire anglais, auteur de deux ouvrages fort intéressants sur les Bohémiens d'Espagne, qu'il avait entrepris de convertir, aux frais de la société Biblique, assure
55 qu'il est sans exemple qu'une Gitana ait jamais eu quelque faiblesse pour un homme étranger à sa race. Il me semble qu'il y a beaucoup d'exagération dans les éloges qu'il accorde à leur chasteté. D'abord, le plus grand nombre est dans le cas de la
60 laide d'Ovide : *Casta quam nemo rogavit*[1]. Quant aux jolies, elles sont comme toutes les Espagnoles, difficiles dans le choix de leurs amants. Il faut leur plaire, il faut les mériter. M. Borrow cite comme preuve de leur vertu un trait qui fait honneur à la
65 sienne, surtout à sa naïveté. Un homme immoral de sa connaissance, offrit, dit-il, inutilement plusieurs onces à une jolie Gitana. Un Andalou, à qui je racontai cette anecdote, prétendit que cet homme immoral aurait eu plus de succès en montrant deux
70 ou trois piastres, et qu'offrir des onces d'or à une Bohémienne, était un aussi mauvais moyen de persuader, que de promettre un million ou deux à une fille d'auberge.

— Quoi qu'il en soit il est certain que les Gitanas
75 montrent à leurs maris un dévouement extraordi-

1. *Casta quam nemo rogavit* : « La femme chaste que personne n'a sollicitée », Ovide, *Amours*, I, VIII, 43.

naire. Il n'y a pas de danger ni de misères qu'elles ne bravent pour les secourir en leurs nécessités. Un des noms que se donnent les Bohémiens, *Romé* ou les *époux,* me paraît attester le respect de la race pour l'état de mariage. En général on peut dire que leur principale vertu est le patriotisme, si l'on peut ainsi appeler la fidélité qu'ils observent dans leurs relations avec les individus de même origine qu'eux, leur empressement à s'entraider, le secret inviolable qu'ils se gardent dans les affaires compromettantes. Au reste, dans toutes les associations mystérieuses et en dehors des lois, on observe quelque chose de semblable.

J'ai visité, il y a quelques mois, une horde de Bohémiens établis dans les Vosges. Dans la hutte d'une vieille femme, l'ancienne de sa tribu, il y avait un Bohémien étranger à sa famille, attaqué d'une maladie mortelle. Cet homme avait quitté un hôpital où il était bien soigné, pour aller mourir au milieu de ses compatriotes. Depuis treize semaines il était alité chez ses hôtes, et beaucoup mieux traité que les fils et les gendres qui vivaient dans la même maison. Il avait un bon lit de paille et de mousse avec des draps assez blancs, tandis que le reste de la famille, au nombre de onze personnes, couchaient sur des planches longues de trois pieds. Voilà pour leur hospitalité. La même femme, si humaine pour son hôte, me disait devant le malade : *Singo, singo, homte hi mulo.* Dans peu, dans peu, il faut qu'il meure. Après tout, la vie de ces gens est si misérable, que l'annonce de la mort n'a rien d'effrayant pour eux.

Un trait remarquable du caractère des Bohémiens, c'est leur indifférence en matière de religion ;

110 non qu'ils soient esprits forts ou sceptiques. Jamais ils n'ont fait profession d'athéisme. Loin de là, la religion du pays qu'ils habitent est la leur; mais ils en changent en changeant de patrie. Les superstitions qui, chez les peuples grossiers remplacent les 115 sentiments religieux, leur sont également étrangères. Le moyen, en effet, que des superstitions existent chez des gens qui vivent le plus souvent de la crédulité des autres. Cependant, j'ai remarqué chez les Bohémiens espagnols une horreur singu- 120 lière pour le contact d'un cadavre. Il y en a peu qui consentiraient pour de l'argent à porter un mort au cimetière.

J'ai dit que la plupart des Bohémiennes se mêlaient de dire la bonne aventure. Elles s'en 125 acquittent fort bien. Mais ce qui est pour elles une source de grands profits, c'est la vente des charmes et des philtres amoureux. Non seulement elles tiennent des pattes de crapauds pour fixer les cœurs volages, ou de la poudre de pierre d'aimant pour se 130 faire aimer des insensibles; mais elles font au besoin des conjurations puissantes qui obligent le diable à leur prêter son secours. L'année dernière, une Espagnole me racontait l'histoire suivante : Elle passait un jour dans la rue d'Alcala, fort triste et préoc- 135 cupée; une Bohémienne accroupie sur le trottoir lui cria : Ma belle dame, votre amant vous a trahie. — C'était la vérité. — Voulez-vous que je vous le fasse revenir? On comprend avec quelle joie la proposition fut acceptée, et quelle devait être la 140 confiance inspirée par une personne qui devinait ainsi d'un coup d'œil, les secrets intimes du cœur. Comme il eût été impossible de procéder à des opérations magiques dans la rue la plus fréquentée de

Madrid, on convint d'un rendez-vous pour le lendemain. — Rien de plus facile que de ramener l'infi- 145
dèle à vos pieds, dit la Gitana. Auriez-vous un mouchoir, une écharpe, une mantille qu'il vous ait donné? — On lui remit un fichu de soie. — Maintenant cousez avec de la soie cramoisie, une piastre dans un coin du fichu. — Dans un autre coin 150
cousez une demi-piastre; ici, une piécette; là, une pièce de deux réaux. Puis il faut coudre au milieu une pièce d'or. Un doublon[1] serait le mieux. — On coud le doublon et le reste. — À présent, donnez-moi le fichu, je vais le porter au Campo-Santo, à 155
minuit sonnant. Venez avec moi, si vous voulez voir une belle diablerie. Je vous promets que dès demain vous reverrez celui que vous aimez. — La Bohémienne partit seule pour le Campo-Santo, car on avait trop peur des diables pour l'accompagner. Je 160
vous laisse à penser si la pauvre amante délaissée a revu son fichu et son infidèle.

Malgré leur misère et l'espèce d'aversion qu'ils inspirent, les Bohémiens jouissent cependant d'une certaine considération parmi les gens peu éclairés, 165
et ils en sont très vains. Ils se sentent une race supérieure pour l'intelligence et méprisent cordialement le peuple qui leur donne l'hospitalité. — Les Gentils [2] sont si bêtes, me disait une Bohémienne des Vosges, qu'il n'y a aucun mérite à les attraper. 170
L'autre jour, une paysanne m'appelle dans la rue, j'entre chez elle. Son poêle fumait, et elle me demande un sort pour le faire aller. Moi, je me fais

1. *Doublon* : ancienne monnaie d'or espagnole.
2. *Les Gentils* : nom donné aux païens par les juifs et les premiers chrétiens (au temps de saint Paul).

d'abord donner un bon morceau de lard. Puis, je
175 me mets à marmotter quelques mots en rommani.
Tu es bête, je disais, tu es née bête, bête tu mourras... Quand je fus près de la porte, je lui dis en bon allemand : Le moyen infaillible d'empêcher ton poêle de fumer, c'est de n'y pas faire de feu. Et je
180 pris mes jambes à mon cou.

L'histoire des Bohémiens est encore un problème. On sait à la vérité que leurs premières bandes, fort peu nombreuses, se montrèrent dans l'est de l'Europe, vers le commencement du quin-
185 zième siècle ; mais on ne peut dire ni d'où ils viennent, ni pourquoi ils sont venus en Europe, et, ce qui est plus extraordinaire, on ignore comment ils se sont multipliés en peu de temps d'une façon si prodigieuse dans plusieurs contrées fort éloignées
190 les unes des autres. Les Bohémiens eux-mêmes n'ont conservé aucune tradition sur leur origine, et si la plupart d'entre eux parlent de l'Égypte comme de leur patrie primitive, c'est qu'ils ont adopté une fable très anciennement répandue sur leur compte.
195 La plupart des orientalistes qui ont étudié la langue des Bohémiens, croient qu'ils sont originaires de l'Inde. En effet, il paraît qu'un grand nombre de racines et beaucoup de formes grammaticales du rommani se retrouvent dans des idiomes
200 dérivés du sanscrit[1]. On conçoit que dans leurs longues pérégrinations, les Bohémiens ont adopté beaucoup de mots étrangers. Dans tous les dialectes du rommani, on trouve quantité de mots grecs. Par exemple : *cocal*, os de coccalon ; *petalli*, fer de cheval,

1. *Sanscrit* : ancienne langue de l'Inde.

de petalon ; *cafi,* clou, de carji, etc. Aujourd'hui les 205 Bohémiens ont presque autant de dialectes différents qu'il existe de hordes de leur race séparées les unes des autres. Partout ils parlent la langue du pays qu'ils habitent plus facilement que leur propre idiome, dont ils ne font guère usage que pour pou- 210 voir s'entretenir librement devant des étrangers. Si l'on compare le dialecte des Bohémiens de l'Allemagne avec celui des Espagnols, sans communication avec les premiers depuis des siècles, on reconnaît une très grande quantité de mots com- 215 muns ; mais la langue originale, partout, quoiqu'à différents degrés, s'est notablement altérée par le contact des langues plus cultivées, dont ces nomades ont été contraints de faire usage. L'allemand, d'un côté, l'espagnol, de l'autre, ont 220 tellement modifié le fond du rommani, qu'il serait impossible à un Bohémien de la Forêt-Noire de converser avec un de ses frères andalous, bien qu'il leur suffît d'échanger quelques phrases pour reconnaître qu'ils parlent tous les deux un dialecte dérivé 225 du même idiome. Quelques mots d'un usage très fréquent sont communs, je crois, à tous les dialectes ; ainsi, dans tous les vocabulaires que j'ai pu voir : *pani* veut dire de l'eau, *manro,* du pain, *mâs,* de la viande, *lon,* du sel. 230

Les noms de nombre sont partout à peu près les mêmes. Le dialecte allemand me semble beaucoup plus pur que le dialecte espagnol ; car il a conservé nombre de formes grammaticales primitives, tandis que les Gitanos ont adopté celles du Castillan. 235 Pourtant quelques mots font exception pour attester l'ancienne communauté de langage. — Les prétérits du dialecte allemand se forment en ajoutant *ium* à l'impératif qui est toujours la racine du verbe. 240 Les verbes dans le rommani espagnol, se conjuguent tous sur le modèle des verbes castillans de la première conjugaison. De l'infinitif *jamar,* manger, on devrait régulièrement faire *jamé,* j'ai mangé, de *lillar,* prendre, on devrait faire *lillé,* j'ai pris. 245 Cependant quelques vieux Bohémiens disent par exception : *jayon, lillon.* Je ne connais pas d'autres verbes qui aient conservé cette forme antique.

Pendant que je fais ainsi étalage de mes minces connaissances dans la langue rommani, je dois 250 noter quelques mots d'argot français que nos voleurs ont empruntés aux Bohémiens. *Les Mystères de Paris* [1] ont appris à la bonne compagnie que *chourin,* voulait dire couteau. C'est du rommani pur; *tchouri* est un de ces mots communs à tous les dia- 255 lectes. M. Vidocq [2] appelle un cheval *grès,* c'est encore un mot bohémien *gras, gre, graste, gris.* Ajoutez encore le mot *romanichel* qui dans l'argot parisien désigne les Bohémiens. C'est la corruption de *rommané tchave* gars Bohémiens. Mais une étymo- 260 logie dont je suis fier, c'est celle de *frimousse,* mine, visage, mot que tous les écoliers emploient ou employaient de mon temps. Observez d'abord que Oudin, dans son curieux dictionnaire [3], écrivait en 1640, *firlimouse.* Or, *firla, fila* en rommani veut dire 265 visage, *mui* a la même signification, c'est exactement *os* des Latins. La combinaison *firlamui* a été

1. *Les Mystères de Paris* : célèbre feuilleton d'Eugène Sue (1804-1857).
2. *Vidocq* : ancien bagnard devenu chef de la police (1775-1857). Ses *Mémoires* parus en 1828 avaient intéressé Mérimée.
3. *Son curieux dictionnaire* : il s'agit des *Curiosités françaises* (1640).

sur-le-champ comprise par un Bohémien puriste, et je la crois conforme au génie de sa langue.

En voilà bien assez pour donner aux lecteurs de Carmen, une idée avantageuse de mes études sur le Rommani. Je terminerai par ce proverbe qui vient à propos : *En retudi panda nasti abela macha.* En close bouche, n'entre point mouche. 270

À vous de jouer

Êtes-vous un lecteur attentif ?

1 Lors de sa rencontre avec don José, le narrateur dit qu'il a confiance en lui car il a partagé avec le bandit :

A un toit ?
B des cigares et de la nourriture ?
C du vin ?

2 Quel objet Carmen vole-t-elle au narrateur ?

A ses cigares ?
B son argent ?
C sa montre ?

3 De quelle région est originaire don José ?

A de Navarre ?
B de Catalogne ?
C d'Andalousie ?

4 Où se passe la première rencontre de don José et Carmen ?

A chez Dorothée ?
B devant la manufacture de tabac de Séville ?
C dans une taverne de Séville ?

5 Quelle fleur Carmen jette-t-elle au visage de don José ?

A une rose ?
B une fleur de cassie ?
C une fleur de magnolia ?

6 Quel effet cela fait-il à don José ?

A l'effet d'une gifle ?
B l'effet d'une caresse ?
C l'effet d'une balle ?

7 Pourquoi don José tombe-t-il dans l'illégalité ?

A parce qu'il a volé ?
B parce qu'il a laissé fuir Carmen ?
C parce qu'il a tué un homme ?

8 Comment Carmen appelle-t-elle don José ?

A son militaire ?
B son *rom* ?
C son canari ?

9 Par qui Carmen est-elle tuée ?

A par Garcia ?
B par don José ?
C par l'Anglais ?

10 Comment don José doit-il mourir ?

A garrotté ?
B pendu ?
C fusillé ?

En passant par l'Espagne

Un peu de géographie

Placez sur la carte les villes ou régions suivantes :

Séville – Madrid – la Navarre – Gibraltar – Pampelune – l'Andalousie – Cordoue.

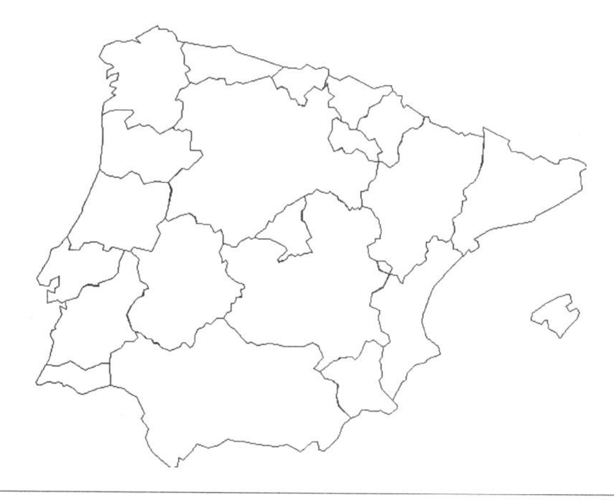

Vocabulaire

Donnez le sens des mots suivants :

1 le gaspacho
2 un picador
3 une mantille
4 un dragon
5 le riz à la valencienne

Chez les bohémiens

1 Donnez deux synonymes du mot bohémien.
2 Pourquoi les appelle-t-on les *Calé*, les noirs ?
3 Qu'est-ce qu'un *rom* ? une *romi* ?
4 Quel droit a un *rom* sur sa *romi* ?
5 Quelle activité ont en général les bohémiennes ?
6 Qu'est-ce qu'un *payllo* ?

La structure du récit

Le récit est composé de quatre chapitres. Donnez un titre à chacun d'eux.

Chapitre 1 : . . . .
Chapitre 2 : . . . .
Chapitre 3 : . . . .
Chapitre 4 : . . . .

Par ailleurs, deux narrateurs prennent tour à tour la parole. Lesquels ?
Pourquoi avoir changé de narrateur ?

Portraits

Faites le portrait physique de don José (ch. 1) et celui de Carmen (ch. 3).
Essayez d'expliquer en quoi ils font sens.

La *Carmen* de Bizet

C'est en 1875 que fut représenté pour la première fois l'opéra de Georges Bizet, *Carmen*. Son livret fut rédigé par Meilhac et Halévy d'après la nouvelle de Mérimée.

Voici l'un des airs les plus connus de l'opéra, celui de « La Habanera » c'est-à-dire de la cigarière. En effet, les ouvrières sortent de la manufacture de tabac, et Carmen s'apprête à rencontrer don José pour la première fois. Carmen chante.

CARMEN

L'amour est un oiseau rebelle
Que nul ne peut apprivoiser,
Et c'est bien en vain qu'on l'appelle,
S'il lui convient de refuser.
Rien n'y fait, menace ou prière,
L'un parle bien, l'autre se tait ;
Et c'est l'autre que je préfère :
Il n'a rien dit, mais il me plaît.
L'amour ! *etc.*

CHŒUR

L'amour est un oiseau rebelle, *etc.*

CARMEN

L'amour est enfant de Bohème,
Il n'a jamais, jamais connu de loi ;
Si tu ne m'aimes pas, je t'aime ;
Si je t'aime, prends garde à toi ! *etc.*

CHŒUR

Prends garde à toi ! *etc.*
L'amour est enfant de Bohème, *etc.*

CARMEN

L'oiseau que tu croyais surprendre
Battit de l'aile et s'envola…

L'amour est loin, tu peux l'attendre
Tu ne l'attends plus… il est là…
Tout autour de toi, vite, vite,
Il vient, s'en va, puis il revient…
Tu crois le tenir, il t'évite,
Tu crois l'éviter, il te tient !
L'amour ! *etc.*

CHŒUR
Tout autour de toi, *etc.*

CARMEN
L'amour est enfant de Bohème,
Il n'a jamais, jamais connu de loi ;
Si tu ne m'aimes pas, je t'aime ;
Si je t'aime, prends garde à toi !…
Si tu ne m'aimes pas, je t'aime, *etc.*

CHŒUR
Prends garde à toi ! *etc.*
L'amour est enfant de Bohème, *etc.*

La figure de la bohémienne dans la littérature

La figure de la bohémienne, de la tzigane apparaît à de nombreuses reprises dans la littérature du XIXe ou du XXe siècle. Elle fascine et effraie tout à la fois et devient parfois mythe avec des héroïnes aussi célèbres que Carmen ou Esméralda.

Esméralda
Comme Carmen, Esméralda, l'héroïne du roman de Victor Hugo *Notre-Dame de Paris* (1831), incarne un type de femme fatale, passionnément aimée des hommes qui peuvent à peine résister à sa beauté ensorcelante.

Si cette jeune fille était un être humain, ou une fée, ou un ange, c'est ce que Gringoire, tout philosophe sceptique, tout poète ironique qu'il était, ne put décider dans le premier moment, tant il fut fasciné par cette éblouissante vision.

Elle n'était pas grande, mais elle le semblait, tant sa fine taille s'élançait hardiment. Elle était brune, mais on devinait que le jour sa peau devait avoir ce beau reflet doré des Andalouses et des Romaines. Son petit pied aussi était andalou, car il était tout ensemble à l'étroit et à l'aise dans sa gracieuse chaussure. Elle dansait, elle tournait, elle tourbillonnait sur un vieux tapis de Perse, jeté négligemment sous ses pieds ; et chaque fois qu'en tournoyant sa rayonnante figure passait devant vous, ses grands yeux noirs vous jetaient un éclair.

Autour d'elle tous les regards étaient fixes, toutes les bouches ouvertes ; et en effet, tandis qu'elle dansait ainsi, au bourdonnement du tambour de basque que ses deux bras ronds et purs élevaient au-dessus de sa tête, mince, frêle et vive comme une guêpe, avec son corsage d'or sans pli, sa robe bariolée qui se gonflait, avec ses épaules nues, ses jambes fines que sa jupe découvrait par moments, ses cheveux noirs, ses yeux de flamme, c'était une surnaturelle créature.

– En vérité, pensa Gringoire, c'est une salamandre [1], c'est une nymphe, c'est une déesse, c'est une bacchante [2] du mont Ménaléen [3] ! »

Victor Hugo, *Notre-Dame de Paris*, livre II, ch. 3.

---

1. *Salamandre* : batracien, petit animal noir tacheté de jaune. On croyait que la salamandre pouvait vivre dans le feu.
2. *Bacchante* : prêtresse de Bacchus (ou Dionysos), le dieu du Vin.
3. *Le mont Ménaléen* : mont se trouvant en Arcadie (Grèce). Terrain de chasse privilégié de la déesse Artémis. C'est également sur le Ménale qu'Héraclès poursuivit la biche aux pieds d'airain.

Sangarre

Dans *Michel Strogoff* (1876), Jules Verne dépeint Sangarre, archétype de la bohémienne.

Près de lui, la tzigane Sangarre, femme de trente ans, brune de peau, grande, bien campée, les yeux magnifiques, les cheveux dorés, se tenait dans une pose superbe.

De ces jeunes danseuses, plusieurs étaient remarquablement jolies, tout en ayant le type franchement accusé de leur race. Les tziganes sont généralement attrayantes, et plus d'un de ces grands seigneurs russes, qui font profession de lutter d'excentricité avec les Anglais, n'a pas hésité à choisir sa femme parmi ces bohémiennes.

L'une d'elles fredonnait une chanson d'un rythme étrange, dont les premiers vers peuvent se traduire ainsi :

Le corail luit sur ma peu brune,
L'épingle d'or à mon chignon !
Je vais chercher fortune
Au pays de…

Jules Verne, *Michel Strogoff*, partie I, ch. 8.

Apollinaire, « La tzigane »

« La tzigane savait d'avance
Nos deux vies barrées par les nuits
Nous lui dîmes adieu et puis
De ce puits sortit l'Espérance

L'amour lourd comme un ours privé
Dansa debout quand nous voulûmes
Et l'oiseau bleu perdit ses plumes
Et les mendiants leurs *Ave*

On sait très bien que l'on se damne
Mais l'espoir d'aimer en chemin
Nous fait penser main dans la main
À ce qu'à prédit la tzigane

Apollinaire, *Alcools* (1913).

AU NOM DE LA LIBERTÉ
Poèmes de la Résistance (2106)

L'AUTOBIOGRAPHIE

BALZAC
Le Bal de Sceaux (2132)

BAUDELAIRE
Les Fleurs du mal (2115)

ROBERT DE BORON
Merlin (2080)

BRADBURY
L'Homme brûlant et autres nouvelles (2110)

CEUX DE VERDUN
Les écrivains et la Grande Guerre (2134)

CHATEAUBRIAND
Mémoires d'outre-tombe (2101)

LES CHEVALIERS DU MOYEN ÂGE

CHRÉTIEN DE TROYES
Perceval ou le Conte du Graal (2088)

COLLODI
Pinocchio (2136)

DEFOE
Robinson Crusoé (2120)

DUMAS
Les Trois Mousquetaires.
1. Les Ferrets de la reine (2142)

DE L'ÉDUCATION
Apprendre et transmettre de Rabelais à Pennac (2137)

LA FARCE DU CUVIER et autres farces du Moyen Âge (2139)

FLAUBERT
La Légende de saint Julien l'Hospitalier (2111)

HOMÈRE
L'Iliade (2113)
L'Odyssée (2125)

JARRY
Ubu Roi (2105)

LABICHE
Un chapeau de paille d'Italie (2114)

MAUPASSANT
La Parure et autres scènes de la vie parisienne (2124)

MÉRIMÉE
Mateao Falcone. Tamango (2104)
La Vénus d'Ille et autres contes fantastiques (2002)

MOLIÈRE
Le Bourgeois gentilhomme (2133)
L'École des femmes (2143)

MYTHES ET DIEUX DE L'OLYMPE (2127)

LA PEINE DE MORT
De Voltaire à Badinter (2122)

PROUST
Combray (2117)

ROBINSONNADES
De Defoe à Tournier (2130)

ROMAINS
L'Enfant de bonne volonté (2107)

ROSTAND
Cyrano de Bergerac (2112)

ANNIE SAUMONT
Aldo, mon ami et autres nouvelles (2141)

SHAKESPEARE
Roméo et Juliette (2118)

MARY SHELLEY
Frankenstein (2128)

STEVENSON
L'Île au trésor (2091)

TCHÉKHOV
Une demande en mariage et autres pièces en un acte (2108)

TITE-LIVE
La Fondation de Rome (2093)

VIRGILE
L'Énéide (2109)

VOLTAIRE
Micromégas (2135)

ZOLA
Germinal (2123)

GF Flammarion

02/01/92344-II-2002 – Impr. MAURY Eurolivres, 45300 Manchecourt.
N° d'édition FG214501. – Février 2002. – Printed in France.